Pia Propella und der rattenscharfe Mausklick

D0581416

© Carlsen Verlag

Katja Reider, geboren 1960, studierte Germanistik und Publizistik und arbeitete mehrere Jahre als Pressesprecherin eines großen Jugendwettbewerbs, bevor sie zu schreiben begann. Inzwischen hat sie zahlreiche Kinder- und Jugendbücher veröffentlicht, die in viele Sprachen übersetzt wurden. Katja Reider lebt mit ihrem Mann und ihren zwei Kindern in Hamburg. Im Carlsen Verlag sind von ihr außerdem die Titel *Maja ahnt was* und *Pia Propella knackt die goldene Nuss* lieferbar.

Katja Reider

Pia Propella und der rattenscharfe Mausklick

Mit Illustrationen von Christiane Pieper

CARLSEN

Veröffentlicht im Carlsen Verlag
Januar 2007
Copyright © 2002 Carlsen Verlag GmbH, Hamburg
Umschlagbild: Christiane Pieper
Umschlaggestaltung: formlabor
Corporate Design Taschenbuch: Dörte Dosse
Gesetzt aus der Stempel Garamond und Eurostile
von Dörlemann Satz, Lemförde
Druck und Bindung: GGP Media GmbH, Pößneck
ISBN-13: 978-3-551-35568-3
ISBN-10: 3-551-35568-1
Printed in Germany

Alle Bücher im Internet: www.carlsen.de

»Pia, wo steckst du denn? Piiiiaaaa??!!«

Wie laut Mamas Stimme in der leeren Wohnung hallt! Klingt fast wie im Schwimmbad. Und so ähnlich fühle ich mich ja auch. Wie in einem großen Wasserbecken, im Tiefen, kurz vorm Untergluckern. Ganz allein, kein Boden unter den Füßen, kein Rettungsring in Sicht und der Bademeister macht Frühstückspause.

Jetzt steht Mama in der Tür zu meinem Zimmer. Besser gesagt, sie steht in der Tür zu meinem ehemaligen Zimmer. Denn hier erinnert nichts mehr an mich, an Pia Propella. Kein platt gekuschelter Plüschhase, kein zerknittertes Tuschebild und keine vergessene Socke – nur noch ein großer brauner Fleck am Fußboden. Der stammt von meinem letzten Geburtstag. Da bin ich zehn geworden und meine beste Freundin Caro hat meiner Babypuppe (mit der ich ja eigentlich nicht mehr spiele) einen Becher Kakao eingetrichtert.

Die Puppe hat den Kakao nicht so gut vertragen und der Teppichboden auch nicht. Der Fleck ist nicht mehr rausgegangen. Mama war ganz schön sauer. Und jetzt ist dieser große braune Fleck auf dem Teppich das Einzige, was in dieser Wohnung von mir übrig bleiben wird. – Wenn das nicht zum Heulen ist …!

»Was ist denn los, Mäuschen?«, fragt Mama. Sie bemüht sich, nicht ungeduldig zu klingen, sondern warm und liebevoll. So als hätte sie alle Zeit der Welt, mir jetzt in Ruhe zuzuhören. Aber das ist natürlich Quatsch! Mama ist voll im Stress – mit dem Umzug, mit dem endlosen Packen von Kisten und Kästen, die sich überall bis zur Decke stapeln, mit diesem ganzen Wahnsinn eben. Deswegen steckt hinter ihrer harmlosen Frage »Was ist denn los, Mäuschen?« eine andere – nämlich: »Was ist denn nun schon wieder los, Mäuschen? Komm, stell dich nicht so an, Mäuschen! Dieser Umzug ist für uns alle nicht einfach. Und die ganze Arbeit bleibt mal wieder an mir hängen! Mach es mir nicht noch schwerer, als es ohnehin schon ist, ja? Sei vernünftig, Mäuschen, du bist doch kein Baby mehr!«

Aber das alles sagt Mama natürlich nicht. Sie denkt es nur und seufzt dabei. Lautlos.

Plötzlich läutet es an der Tür. Mama und ich zucken zusammen. Irgendwie klingt in diesen leeren Räumen alles doppelt laut.

»Ich geh schon!« Mama wendet sich ab und einen Moment später höre ich sie die Wohnungstür öffnen.

»Ach, du bist es, Caro! Da wird sich Pia ja freuen! Lass mal, die Schuhe brauchst du dir nicht auszuziehen! Kommt ja jetzt nicht mehr drauf an, nicht? Geh einfach durch!« Mamas Stimme klingt richtig erleichtert. Wahrscheinlich ist sie heilfroh, dass ihr Caros Besuch ein anstrengendes Gespräch mit ihrer widerborstigen Tochter erspart ...

Genau wie Mama eben bleibt auch Caro im Türrahmen stehen. Als wäre da eine Art unsichtbare Mauer.

»Komm rein und mach's dir gemütlich«, fordere ich sie auf. Caro grinst und hockt sich zu mir auf den Fußboden, andere Sitzgelegenheiten gibt es ja nicht mehr. Dann schaut sie sich gründlich um, zoomt mit den Augen den leeren Raum ab,

8

als ob es hier tatsächlich noch was zu entdecken gäbe. Irgendwann bleibt Caros Blick an dem großen braunen Fleck auf dem Teppichboden hängen.

»Weißt du noch …«, sagt sie und kichert leise. »Mann, war deine Mutter sauer!«

»War ja auch blöd von dir, das mit dem Kakao«, sage ich.

»Ja, voll blöd!« Caro nickt. »Du hast deiner Mutter nie gesagt, dass ich das war mit dem Fleck, stimmt's?«

»Nö«, sage ich, »warum auch? Sauer war sie so oder so.«

Wir schweigen. Plötzlich springt Caro auf und tritt ans Fenster, starrt so angestrengt hinaus, als gäb's da sonst was zu sehen.

»Weißt du, ich vermisse dich jetzt schon«, sagt Caro in Richtung Fensterscheibe. »Wie soll denn das erst morgen werden, wenn du wirklich weg bist …«

Caro schaut mich immer noch nicht an. Und ich bin froh darüber. Ich weiß genau, wenn sie sich jetzt umdreht, fange ich sofort an zu heulen und höre in hundert Jahren nicht damit auf.

»Mir geht's doch genauso«, sage ich zu dem braunen Fleck auf dem Teppichboden.

Ich kann mir ein Leben ohne Caro nicht vorstellen. Sie war immer da, auf dem Spielplatz, im Kindergarten und dann in der Schule. Caro und Pia. Pia und Caro. Sie hat auf meinem Sofa genauso einen festen Platz wie Bruno, mein Teddy, den ich zu meinem ersten Geburtstag bekommen habe.

»Dein Vater spinnt doch!«, sagt Caro und dreht sich endlich zu mir um. »Was will er nur in diesem Kaff? In diesem Geröllheim! Ideen kann er doch auch hier haben! Ich meine, in einer Großstadt ist doch viel mehr los!«

Ich seufze. »Ich kapier es ja auch nicht.«

Mein Vater schreibt Geschichten für eine Science-Fiction-Serie im Fernsehen. Eine Trickfilmserie. Ständig ist er auf der Suche nach neuen Ideen und ständig hat er Angst, dass ihm nichts mehr einfällt. Und wenn ihm dann doch was einfällt, springt er immer sofort auf, um seine Idee aufzuschreiben oder zu zeichnen. Obwohl er Letzteres gar nicht gut kann. Die Zeichnungen für die Trickfilme machen nämlich ganz andere

Leute. Richtige Profis. Glücklicherweise! Aber dennoch hängt unsere Wohnung ständig voll mit Papas Skizzen von dreiköpfigen Außerirdischen, doppelzungigen Weltraumhunden oder Raumschiffen in Gießkannenform ... Echt, das macht einen wahnsinnig!

Letztes Jahr ist Papas bester Freund Klaus (dem die Trickfilmfirma gehört, für die Papa Drehbücher schreibt) in eine Kleinstadt in der Heide gezogen. Um endlich in Ruhe arbeiten zu können, wie er sagte. Und seitdem mussten wir uns bei Klaus' Besuchen ständig anhören, wie toll dieses sagenhafte Röllheim doch ist: so ruhig und so idyllisch und was weiß ich noch alles ... Klaus hat in Röllheim eine alte Fabrikhalle gekauft und für TriCompany (so heißt seine Trickfilmfirma) umgebaut. Das wäre in einer Stadt wie Hamburg unbezahlbar gewesen. Sagt Klaus. Jedenfalls will Papa da jetzt auch arbeiten. Obwohl das gar nicht nötig wäre. Papa könnte seine Geschichten einfach per E-Mail nach Röllheim schicken und fertig. Viele der Trickfilmzeichner haben diesen blöden Umzug auch nicht mitgemacht. Sie arbeiten weiterhin von Hamburg aus und senden ihre

11

Zeichnungen per Mail nach Röllheim. Das hätte Papa doch auch machen können! Aber nein, mein Papa will »näher dran« sein an der Produktion und an Klaus und überhaupt. Und deswegen müssen wir alle umziehen nach Röllheim. Alle vier: Mama, Papa, Bastian und ich.

Bastian ist mein großer Bruder. Er ist schon richtig groß – fast fünfzehn! Ich glaube, Basti sieht gut aus. Er hat blaue Augen und richtig schöne, braune Locken, nicht so ewig zerzauste Wuschelhaare wie ich. Zurzeit hat Basti allerdings ziemlich viele Pickel im Gesicht, aber die Mädels scheinen trotzdem auf ihn zu stehen. Jedenfalls rufen hier ziemlich oft welche an. Zu unmöglichen Zeiten, meint Mama. Eines dieser Mädels war sogar schon mal hier. Und da habe ich dann kapiert, wieso ihr Bastis Pickel nix ausmachen. Diese komische Laura hatte selber das ganze Gesicht voll! Nur eben Schminke drüber. Bastian hat mir einen warnenden »Wehe-du-kommst-rein-und-störst-uns«-Blick zugeworfen und dann hat er die Tür hinter sich und dem Mädel so fest geschlossen wie eine U-Boot-Klappe kurz vor der Tauchfahrt. Als wenn ich da einfach so reinplatzen würde!

Eigentlich verstehe ich mich richtig gut mit Basti, aber in Sachen Röllheim hat er mich dann doch gnadenlos hängen lassen. Ich war mir absolut sicher, dass er sich mit Händen und Füßen gegen diesen Umzug sträuben würde, genau wie ich. Nicht nur wegen Laura, sondern auch wegen dieser komischen Theatergruppe, in der Basti seit einem Jahr mitspielt. Und die er so toll findet. Am Anfang war es ja auch so, dass Basti auf keinen Fall wegwollte aus Hamburg. Aber dann hat diese bescheuerte Laura von heute auf morgen mit Basti Schluss gemacht, weil sie sich in einen Gitarristen mit Stoppelfrisur verknallt hat. Das hat Basti mir natürlich nicht selber erzählt, sondern Mama, damit ich begreife, warum Basti so unausstehlich ist. Jedenfalls wollte Basti nach diesem Laura-Drama nur noch weg aus Hamburg. So schnell wie möglich die Kurve kratzen. Röllheim oder Timbuktu – das war ihm egal. Damit stand es plötzlich drei gegen einen, denn Mama wollte auch nach Röllheim, Kleinstadtluft schnuppern, mehr Grün, mehr Natur und so. Mama kann überall arbeiten. Sie schreibt Schulbücher, denkt sich Textaufgaben aus und so was. Komischer Beruf, finde ich.

Manchmal wünsche ich mir, meine Eltern hätten ganz normale Berufe, so wie die von Caro. Die haben eine kleine Bäckerei, stehen zwar superfrüh auf, haben aber nachmittags Zeit für Caro und kämen nie auf die Idee, nach Röllheim zu ziehen, um dort eine neue Bäckerei aufzumachen.

Caro steht noch immer am Fenster. Sie schaut auf die Uhr, als wolle sie sich ausrechnen, wie viel Zeit uns noch bleibt. Als ob zehn Minuten mehr oder weniger irgendwas ändern würden. Fast wünsche ich mir, dass sie jetzt geht. Je länger wir hier sitzen, umso schlimmer wird es. Das Schweigen zwischen uns dehnt sich wie Kaugummi. Dabei sind wir uns doch sonst ständig ins Wort gefallen, konnten kaum abwarten, bis die andere zu Ende geredet hatte. Und jetzt? Jetzt ist eben alles gesagt und nichts mehr zu ändern.

»Ich geh dann mal, was?«, sagt Caro. Sie empfindet das Gleiche wie ich. Natürlich.

»Hast du meine Adresse?«, frage ich, obwohl ich Caro schon etwa ein Dutzend Zettel mit meiner Anschrift, der E-Mail-Adresse und unserer neuen Telefonnummer gegeben habe.

»Logo!«, sagt Caro. Sie schluckt und plötzlich greift sie in ihren Rucksack. Sie zieht ein zerdrücktes Päckchen raus. »Für dich!«

Ich bring kein Wort raus, reiße stumm das Papier auf, hab einen Riesenkloß im Hals und Caros Abschiedsgeschenk in der Hand – eine Haarschleife aus Tigerfell, voll plüschig und riesengroß!

»Damit du mich nicht vergisst, Pia Propella!«, sagt Caro feierlich.

Plötzlich muss ich heulen. Pia Propella, das ist mein Spitzname, schon seit Urzeiten. Früher habe ich nämlich immer diese riesengroßen Schleifen im Haar gehabt, um die Wolle auf meinem Kopf irgendwie in den Griff zu kriegen. Dieses krause, zerzauste Haar, von dem Oma immer behauptet, es sähe aus wie ein aufgeplatztes Sofakissen. Nicht sehr schmeichelhaft, aber treffend. Inzwischen trage ich diese Schleifen nur noch ganz selten. Ich meine, wer läuft heute noch mit

15

so was rum? Aber an manchen Tagen, an besonders starken oder besonders schwachen Tagen, an besonderen Tagen eben, da muss es einfach sein. Da mach ich mir einen dieser bunten Riesenpropeller ins Haar und bin eben – Pia Propella …

Caro wartet, bis ich mir die Tigerschleife ins Haar geclippt habe, dann umarmt sie mich und ich umarme sie und dabei stoßen wir mit unseren Nasen zusammen. Wir kichern. Für eine kurze, kostbare Sekunde ist alles wie immer, aber dann ist Caro plötzlich weg. Verschwunden. Ganz schnell. Ich höre die Haustür klappen. Caros leiser werdende Schritte auf der Treppe. Und dann ist Leere.

Gestern war es so weit. Wir sind umgezogen. Ich hatte fest angenommen, dass dies der schlimmste Tag meines Lebens werden würde, aber eigentlich war es auszuhalten. Oder besser gesagt: Die Tage davor waren schlimmer!

Mama hat mir ja schon immer gepredigt, dass die Angst vor etwas meistens stärker ist als das tatsächliche Ereignis. Und bisher hat das auch oft gestimmt. Ob Pflaster abmachen (Grusel!), Spritze beim Arzt (Obergrusel!) oder Weihnachtsaufführung in der Schule mit Flötensolo von Pia Propella (absoluter Grusel-Super-GAU!) ... alles hatte ich mir unendlich viel schrecklicher ausgemalt, als es dann tatsächlich war. Ich habe eben viel Fantasie. Sagt Oma immer. So als wäre Fantasie eine ansteckende Krankheit, gegen die es leider noch keine Pille gibt. Dabei hat Omas Sohn, also Papa, ja auch viel Fantasie. Ohne die könnte er seinen Beruf gar nicht ausüben. Hat Mama mal zu Oma gesagt und ihr Ton dabei war nicht besonders freundlich. Oma hat keine Antwort gegeben, nur ein bisschen beleidigt vor sich hin geschnaubt, wie sie das manchmal macht. Ich glaube, Papas Beruf passt ihr sowieso nicht. Trickfilmautor – das ist für Oma kein richtiger Beruf, das kommt gleich nach »Nackte-Frauen-für-Zeitschriften-Fotografieren«. Mama hat mal gemeint, Oma hätte es viel lieber gesehen, wenn Papa einen stinknormalen Beruf erlernt hätte – Bankangestellter oder Beamter oder so. Also einen Beruf, in dem man einen grauen Anzug, eine goldene Uhr und um fünf Uhr Feierabend hat. In diesem einen Punkt sind sich Oma und ich mal ausnahmsweise einig. Also, das mit dem grauen Anzug ist mir natürlich schnuppe, aber wenn Papa Bankangestellter geworden wäre, dann säßen wir jetzt bestimmt nicht in einer ungemütlichen Doppelhaushälfte in Geröllheim!

Das einzig Lustige war gestern, dass ich in dem großen Umzugswagen mitfahren durfte, weil Papa in unserem Auto unbedingt seine hochheiligen Computer transportieren musste. Da passte die kleine Pia Propella (natürlich hatte ich

gestern Caros rattenscharfe Tigerschleife im Haar) dann leider nicht mehr mit rein! Erst war ich ja gar nicht so begeistert von der Idee, im Möbelwagen mitzufahren, aber irgendwann gefiel mir die Gesellschaft dieser vier witzigen, muskelbepackten Typen, die Papas Versuche, mit anzupacken, nur mit einem Grinsen quittiert hatten. Und die die Kommode, die Papa und Bastian mühsam hochgestemmt hatten, auf dem kleinen Finger die Treppe runtertrugen. Papa gab irgendwann auf und schlich kleinlaut in die Küche, Kaffee trinken. Geschah ihm ganz recht.

Wenigstens war keiner zum Abschiedwinken gekommen. Das hätte ich auch ganz furchtbar gefunden! Dieses zehnmal hintereinander Auf-Wiedersehen-Sagen und dabei immer wieder das Gleiche labern: »Wir bleiben in Verbindung ... spätestens in zwei Wochen ... Röllheim ist ja nicht aus der Welt ...« Blablabla.

Klar ist Röllheim nicht aus der Welt, aber es liegt auf einem anderen Stern!

»Pia, komm mal her! Du kannst schon deinen Schreibtisch einräumen. Ich habe gerade die Kiste mit deinen Schulsachen gefunden!« Mama strahlt, als hätte sie mir gerade einen mittelgroßen Lottogewinn verkündet. »Schau mal, es ist alles da!«

Klar ist alles da, ich hab den ganzen Kram ja selber in die Kiste gepackt. Aber Mama scheint wild entschlossen zu sein alles, was mit diesem Umzug zusammenhängt, toll zu finden. »Komm, Pia, mach doch nicht so ein Gesicht!«, sagt sie jetzt etwas weniger betont fröhlich. »Natürlich müssen wir uns erst mal alle hier eingewöhnen. Und das wird bestimmt manchmal nicht so einfach. Röllheim ist eben ganz anders als Hamburg.«

Ach, tatsächlich? Ist Mama das auch schon aufgefallen? Gerade will ich meiner Mutter irgendeine bissige Antwort entgegenschleudern, als ich ihren Blick auffange. Die angestrengte Fröhlichkeit ist aus ihrem Gesicht verschwunden. Mama schluckt und wendet sich schnell ab. »Meinst du, mir fällt das alles so leicht?«, sagt sie dann leise. »Wir hatten schließlich gute Freunde in Hamburg, nette Nachbarn und so. Wer weiß, wie das hier alles wird …«

Verlegen wischt sich Mama über die Augen.

»Aber wenn doch alles so toll war in Hamburg, warum mussten wir dann unbedingt wegziehen?«, rufe ich aus. »In dieses Kaff?«

Mama zieht ein zerknülltes Taschentuch aus ihrer Jeans und putzt sich die Nase. »Weil man hin und wieder etwas Neues wagen muss, sonst rostet man ein, Pia! Ich habe mein ganzes Leben in der Großstadt verbracht. Ich wollte mal etwas anderes erleben, ganz neu beginnen! Aber das heißt natürlich nicht, dass ich jetzt nicht auch Abschiedsschmerz habe, genau wie du! Obwohl ich unsere Entscheidung, hierherzuziehen, nach wie vor richtig finde.« Mama schnieft. »Ich weiß nicht, ob du das schon verstehen kannst, Pia.«

Weiß ich selber nicht. Ich zucke die Achseln. Irgendwie ist es immer komisch, wenn Mama oder Papa solche Gefühle zeigen. Also, ich meine, wenn ich merke, dass sie auch mal ängstlich sind oder traurig oder ratlos. Ich bin eben daran gewöhnt, dass die beiden scheinbar immer wissen, wo es langgeht.

Mama hat sich schon wieder gefangen. Mit gewohnter Energie wuchtet sie eine weitere Kiste neben meinen Schreibtisch. Den Schreibtisch hat

Basti mir noch gestern Abend aufgebaut. Direkt vor dem großen Fenster, wie ich es mir gewünscht hatte. Das hat er sogar noch gemacht, bevor er die Stereoanlage in seinem eigenen Zimmer eingerichtet hat. Und das will schon was heißen bei Basti.

»Du wirst sicher einige neue Schulsachen brauchen«, sagt Mama jetzt. »Aber bis dahin ist ja noch ein bisschen Zeit.«

Zeit???!!! Zwei Tage habe ich noch Zeit! Dann darf ich zum ersten Mal in meine neue Schule marschieren. Kann gar nicht sagen, wie sehr ich mich davor grause! (Gruselstufe 3, Super-GAU!) Nur in Büchern für Kleinkinder werden Neuankömmlinge mit frohem Juchhei begrüßt. Mit Schokokuchen und Girlanden und Luftballonketten. Alles Blödsinn! In Wirklichkeit werden die Neuen erst mal kritisch unter die Lupe genommen und müssen zeigen, dass sie es auch verdienen, in die Klassengemeinschaft aufgenommen zu werden. So als wäre es ein besonderer Verdienst, Mitschüler irgendeiner Klasse 4b in irgendeiner dämlichen Grundschule zu sein.

Das kann ja lustig werden!

Dabei bin ich bisher ganz gern zur Schule gegangen. Also klar, Ferien waren natürlich immer besser! Ausschlafen und so. Aber in unserer Klasse war es meistens wirklich ganz okay. Caro, Maike, Adrian und ich, wir haben immer viel rumgealbert, Briefchen ausgetauscht und manchmal gekichert, bis wir uns fast in die Hosen gemacht haben! Im letzten Schuljahr ist Caro sogar zur Klassensprecherin gewählt worden. Sie war total überrascht damals, aber ich glaube, auch mächtig stolz. Ich bin sicher, die anderen haben Caro gewählt, weil sie nie Angst hat, den Mund aufzumachen. Wenn ihr was nicht passt, dann sagt sie das auch! Ganz offen und ehrlich. Da denkt sie gar nicht drüber nach. Ich bin anders. Ich fress eher mal Sachen in mich hinein. Wenn ich traurig bin oder verletzt, dann muss das ja nicht gleich jeder wissen, oder? Dann mache ich eher total dicht und bin extraruppig. Ich mag es eben nicht, wenn andere sehen, dass ich mich schwach fühle oder ängstlich oder so.

Früher hat mich Mama jeden Mittag, wenn ich nach Hause kam, gefragt: »Na, Pia, wie war's heute in der Schule?«

Irgendwann hätte ich Mama vierteilen können für diese Frage! Ich habe einfach keine Lust, zwischen Brokkoli und Hackklößchen darüber zu jammern, dass Julian mich auf dem Schulhof angerempelt hat und dass ich zehn Fehler im Mathetest hatte. Wenn ich aus der Schule komme, will ich Ruhe haben und nicht noch mal das durchkauen, was mich vormittags genervt hat. Das Schlimmste ist, dass Mama mir nach meinen widerwilligen Berichten dann immer gleich einen ganzen Katalog von Lösungsvorschlägen präsentierte: »Also, Pia, da könntest du jetzt entweder das machen oder mit dem reden oder die ansprechen oder, oder.« Total nervig! Dabei will ich meistens gar nichts ändern oder lösen, höchstens davon erzählen, etwas loswerden und Schluss. Irgendwann hat Mama endlich geschnallt, dass ich auf die Frage »Wie war's denn heute?« nur noch genervt die Augen verdrehe, und hat ihre Bohrerei aufgegeben. Ich meine, sie kann mir doch vertrauen: Wenn irgendwas Wichtiges anliegt, dann erzähl ich ihr das schon.

Den Rest des Tages sind wir mehr oder minder mit Kistenauspacken beschäftigt. Schließlich ist die Wohnung – oder muss ich jetzt immer sagen: die Doppelhaushälfte? – noch immer ein einziges Durcheinander. Ich sehe Papa an, dass er sich am liebsten unter dem Vorwand eines bombastischen Kreativschubs aus dem Staub machen würde, um in Klausis umgebauter Fabrikhalle in Ruhe am Computer rumhocken zu können.

Aber heute ist Mama knallhart: »Kommt nicht in die Tüte, Stefan! Du bleibst da und schließt jetzt die Lampen an, damit es hier mal ein bisschen gemütlicher wird!«

Mamas Optimismus ist wirklich nicht zu erschüttern: Bei diesem Superchaos hier von »Gemütlichkeit« zu sprechen, das bringt echt nur sie! Wenigstens hat sie nichts dagegen, dass Basti und ich uns irgendwann abseilen, um einen Streifzug durch das sagenhafte Geröllheim zu unternehmen. Angesichts der Größe dieses Kaffs dürfte der Rundgang in zehn Minuten beendet sein. Quatsch, ich übertreibe mal wieder. So zwergig ist Röllheim gar nicht. Eben eine richtige Kleinstadt, mit netten, alten Wutzelhäuschen, schmalen Gassen, Marktbrunnen, Parkanlagen, einem hübschen Rathaus und einem Einkaufszentrum. Natürlich kennen Basti und ich Röllheim schon, wir haben ja Klaus ein paarmal hier besucht. Und für einen Nachmittag gefiel mir der Ort auch immer ganz gut. Aber ich kann mir beim besten Willen nicht vorstellen, dass ich irgendwann mal das Gefühl habe, hierher zu gehören. »Ich bin Röllheimerin.« – Ich meine, wie klingt das denn? Ist doch wohl unterirdisch!

Basti ist auffallend schweigsam, während wir Seite an Seite durch die Gassen schlendern. Ich habe das sichere Gefühl, dass er darüber nachgrübelt, ob es wirklich unbedingt nötig war, sich aus Kummer um die untreue Laura hier in der Provinz zu vergraben. Vielleicht wäre ein einwöchiger Aufenthalt bei Oma und Opa in Bayern schon heilsam genug gewesen? Aber nun ist es zu spät. Jetzt muss Basti mit der Konsequenz seiner Entscheidung leben. Jetzt ist er Röllheimer. Ob er will oder nicht.

Als wir nach Hause kommen, hat Mama schon den Abendbrottisch gedeckt. Hey, sie hat es ja sogar geschafft zu kochen! Spaghetti Bolognese! Mein absolutes Lieblingsessen (zugegeben, nicht sehr originell, aber so ist es nun mal! Wenn ich älter bin, überlege ich mir bestimmt ein schickeres Lieblingsessen).

Papa häuft mit ähnlicher Begeisterung wie ich Nudeln auf seinen Teller. Allerdings hat er schon wieder diesen leicht abgedrehten Blick, wie immer, wenn er eine neue Idee ausbrütet. »Meinst du, ich könnte morgen schon mal für ein paar Stunden in mein neues Büro?«, fragt er Mama vorsichtig. Anscheinend hat Papa, genau wie Basti und ich, klaglos akzeptiert, dass Mama die unbestrittene Herrscherin über diesen Umzug ist.

Mama seufzt. »So, wie es hier aussieht! Muss das denn sein?«

Papa nickt. »Ich glaube, ich habe eine gute Idee

für Captain Flynn ... die würde ich gern mal skizzieren!«

Captain Jane Flynn ist Papas Serienfigur. Seit Jahren schickt er sie und ihre bunt gemischte Crew in ein Abenteuer nach dem anderen. Urlaub hat Captain Flynn nie. Die muss immer auf ihrem Raumschiff rumhängen und unglaublich wichtige Entscheidungen über die Zukunft des Universums treffen und dabei noch gut aussehen. Aber das ist kein Problem, das übernehmen ja die Zeichner.

»Und was für eine Idee ist das?«, fragt Mama, aber es klingt etwas lau. Nicht gerade so, als würde sie eine schlaflose Nacht verbringen, wenn Papa seine geniale Idee jetzt doch für sich behielte. Manchmal denke ich, die ständige Anwesenheit dieser Jane Flynn geht Mama ganz schön auf den Geist! Egal was wir machen, Captain Flynn ist immer dabei: beim Sonntagsausflug, im Urlaub, im Kino ... ständig scheint Papa über seine unerschrockene Superfrau nachzudenken und sich neue Abenteuer für sie zu überlegen.

Natürlich lässt Papa die Gelegenheit, über sein Lieblingsthema zu sprechen, nicht ungenutzt verstreichen. »Also, ich dachte, ich könnte die gute Jane mal eine Zeitreise machen lassen …«

Bastian fällt Papa ins Wort: »Mensch, das ist doch ein alter Hut! Geschichten mit Zeitmaschinen gibt's wie Sand am Meer!«

Papa fuchtelt mit seiner Spaghettigabel herum. »Aber ich will doch Captain Flynn nicht ins Mittelalter katapultieren oder in die Steinzeit! Nein, sie soll nur ganz kurze Zeitsprünge machen. Von 24 Stunden oder so, versteht ihr? Ich lasse sie einfach die Zeit um einen Tag zurückdrehen!«

»Ja und?« Basti ist immer noch nicht begeistert. »Dann erlebt deine Jane irgendeinen Blödsinnstag noch einmal. Aber das ist doch todlangweilig.«

Papa schüttelt den Kopf. »Ihr versteht das nicht! Es ist doch ungemein spannend, die Zeit zurückzudrehen! Stellt euch vor, man könnte plötzlich Dinge ungeschehen machen, man könnte Situationen wiederholen und im zweiten Anlauf völlig anders handeln ... klüger, witziger, mutiger sein. Eine zweite Chance zu bekommen – das wünscht sich doch jeder hin und wieder, oder?«

Klirrend lässt Mama ihr Besteck auf den Teller fallen. »Ich glaube wirklich, Stefan, dass es im Moment Dringenderes zu besprechen gibt als die Zeitsprünge von Captain Flynn! Und wenn ich die Zeit um 24 Stunden zurückdrehen könnte, würde ich das auf der Stelle tun – nämlich, um dich daran zu erinnern, dass du dich endlich um unseren Telefonanschluss kümmern musst! Dann hätten wir nämlich heute schon telefonieren können! Aber so sind wir leider noch immer von der Außenwelt abgeschnitten.« Mama seufzt. »Ich mache jetzt eine Liste und wir teilen auf, wer sich morgen um was kümmert. Damit wir hier so bald wie möglich ein annähernd normales Leben führen können, einverstanden?«

Nichts dagegen. Aber gibt es denn überhaupt so was wie ein normales Leben in Röllheim? Für mich? Für Pia Propella?

Heute ist mein erster Schultag. Das heißt natürlich: mein erster Schultag in Röllheim! Am liebsten würde ich einfach im Bett bleiben. Vielleicht könnte mir Mama ja Privatunterricht geben? Sie schreibt schließlich Schulbücher. Ich sitze sozusagen direkt an der Quelle. Wenn ich da nicht superschlau werde! Aber wahrscheinlich ist Privatunterricht nach einer Weile ziemlich langweilig, weil keiner da ist, mit dem man mal richtig Quatsch machen kann (Eltern zählen nicht). Außerdem ist man immer dran und kann sich nie hinter dem breiten Rücken von irgendeinem Vordermann verkrümeln, um friedlich dem Schulschluss entgegenzudämmern. Ich entscheide mich also gegen den Privatunterricht und stehe auf.

Ich habe mir schon gestern Abend zurechtgelegt, was ich anziehe. Das mache ich nur selten, aber heute ist mir wichtig, dass ich lauter Lieblingssachen anhabe und natürlich meinen allergrößten Propeller im Haar – die Tigerschleife von Caro, logo!

Als ich in die Küche komme, liegt auf meinem Platz eine kleine Schultüte. Ich luge hinein. Hmm, lauter Süßigkeiten drin! Nicht dieser Bioladen-Pseudosüßkram, der wie altes Brot schmeckt, sondern lauter richtig leckeres, buntes Zeug: Mäusespeck, Lakritz, Schokomünzen … Für einen klitzekleinen Moment hebt sich meine Laune. Das mit der Schultüte ist echt lieb von Mama! Bestimmt hatte sie für Basti auch irgendeine kleine Überraschung. Mama weiß, dass das für Bastian und mich heute ein schwerer Tag ist. Schließlich müssen sie und Papa sich nicht an einen Haufen neuer Gesichter gewöhnen: Mama arbeitet sowieso allein von zu Hause aus und Papa hockt ab sofort wieder Tür an Tür mit Klaus, seinem siamesischen Zwilling. Wie in guten alten Zeiten.

Bastian ist schon weg. Seine Schule liegt nicht direkt um die Ecke wie meine. Und auf Frühstück hat Basti sowieso nie Lust. Er kriegt immer erst ab zehn Hunger. Dabei hat Mama heute sogar

Brötchen geholt! Sie versucht ja wirklich alles, um mich fröhlich zu stimmen. Aber es nutzt nicht viel. Ich schiebe die Brötchenviertel auf meinem Teller hin und her und warte darauf, dass Mama zum Aufbruch bläst.

Als es so weit ist, bin ich fast erleichtert. Ich setze meinen Ranzen auf, rücke vor dem Spiegel meinen Tigerpropeller zurecht und wir traben los. Ich hatte befürchtet, dass Mama den ganzen Weg auf mich einreden würde, mir erzählen würde, wie toll alles wird in der neuen Schule und so. Aber Mama scheint zu spüren, dass ich Ruhe haben will. Sie schweigt. Erst als wir über den leeren Schulhof gehen, sagt sie vorsichtig: »Willst du diese große Schleife wirklich im Haar lassen, Pia?«

Ich tue so, als ob ich nicht verstehe, was sie meint. »Klar, wieso nicht?«

»Na ja«, Mama zuckt die Achseln, »nicht dass du gleich einschnappst, wenn einer einen Spruch darüber macht ...«

»Sollen sie doch!«, sage ich und stoße die schwere Glastür auf.

Die grauhaarige Schulleiterin, bei der Mama

noch irgendwelche Formulare für mich unterschreiben muss, stellt sich als Dr. Mücke-Martens vor und scheint einigermaßen nett zu sein. Aber vielleicht gibt sie sich auch nur Mühe, solange Mama dabei ist.

»So, jetzt kann die Mutti nach Hause gehen und ich stelle dir deine Mitschüler vor. Na, wie wäre das?«, säuselt die Mücke-Martens, als wäre das ein unglaublich genialer Vorschlag. Ich nicke stumm. Klar, was denn sonst? Schließlich will ich meine neue Klasse nicht an Mamas Hand betreten – das wär ja wohl oberpeinlich!

Eine Minute später stehen wir vor der Tür der 4b, meiner zukünftigen Klasse. Als die Mücke-Martens klopft, wird es drinnen augenblicklich still. Anscheinend werden wir schon erwartet. Eine nett aussehende Frau mit kurzen blonden Haaren öffnet schwungvoll die Tür und streckt mir die Hand entgegen. »Ich bin Sabine Wind, deine Klassenlehrerin, und du musst Pia sein, stimmt's?«

Ich nicke, mein Hals ist wie zugeschnürt. Frau Wind zieht mich in den Klassenraum und bleibt neben mir stehen. Die Mücke-Martens baut sich auf meiner anderen Seite auf. So als wollten die beiden verhindern, dass ich plötzlich die Flucht ergreife. Hat es hier vielleicht schon solche Fälle gegeben?

»Das ist also deine neue Klasse, Pia!«, sagt Frau Wind und weist mit einer weit ausholenden Geste auf meine zukünftigen Mitschüler.

Rund 25 Augenpaare starren mich an, mustern und begutachten mich neugierig.

»Tja, Pia«, sagt Frau Wind, »herzlich willkommen in unserer Klasse! Wir freuen uns alle, dass …«

Da passiert es!

Hinten am letzten Tisch haben zwei Jungs zu flüstern begonnen, jetzt kichern sie wie blöd und stoßen die Mädchen neben sich an, bis auch die losgackern. Mir wird augenblicklich heiß. Ich glühe richtig! Wahrscheinlich bin ich schon knallrot angelaufen! Die dahinten lachen über mich! Kein Zweifel!

Frau Winds Ton wird augenblicklich streng. Lehrer können da ja schnell hin- und herschalten: »Was soll das, Lukas? Was gibt es zu kichern?«

»Na, was die Pia da auf dem Kopf hat …«, quiekt eines der Mädchen, »dieser Propeller!«

Wie aufs Stichwort lachen jetzt alle. Die ganze Klasse grölt – über mich! Das darf doch nicht wahr sein! Am liebsten würde ich auf der Stelle rauslaufen oder losheulen. Aber das wäre jetzt das Letzte. Das Allerletzte.

Ein dicker Junge im Ringelhemd setzt noch einen drauf: »Mensch, passt auf, die hebt gleich ab!«, prustet er.

Jetzt fühle ich nur noch eins: blanke Wut! Bis unter die Haarwurzeln! »Halt's Maul, fettes Pfannkuchengesicht«, rufe ich dem Dicken zu.

»Ruhe!«, brüllen Frau Wind und die Mücke-Martens im Chor. »RUHE! Sofort!«

Wenn das hier ein Albtraum ist, möchte ich jetzt bitte auf der Stelle wach werden!

Allmählich wird es ruhiger in der Klasse. Ich stehe noch immer wie festgewachsen zwischen den beiden Lehrerinnen. Frau

Wind legt mir die Hand auf die Schulter. »Ich muss mich entschuldigen für die Klasse, Pia! Das war wirklich kein schöner Empfang!« Dann wendet sich Frau Wind an die anderen: »Eure Spielstunde fällt heute aus, das ist ja wohl klar!«

Jetzt geht natürlich das große Murren los. Zwei Mädchen ganz hinten buhen sogar.

»Boah, krass! Nur wegen der Neuen!«, blökt eine.

»Ruhe jetzt!«, ruft Frau Wind wieder.

Die Mücke-Martens nutzt den erneut ausbrechenden Tumult, um sich unauffällig zu verdrücken. Am liebsten würde ich schnurstracks hinter ihr herrennen.

Keine Chance!

»Komm, Pia, ich bringe dich jetzt an deinen Platz!«, sagt Frau Wind mit ihrer scheinbar unerschütterlichen Freundlichkeit. »Dort am Fenster neben Nadine ist noch ein Stuhl frei.«

Aber besagte Nadine scheint nicht gerade begeistert zu sein mich zur Tischnachbarin zu bekommen. »Da sitzt aber eigentlich Jana«, nölt sie prompt los. »Und nur weil die jetzt krank ist …«

Ich presse meine Lippen so fest zusammen, dass mein Kiefer schmerzt. Jetzt bloß nichts anmerken lassen.

»Keine Sorge, Nadine!«, töne ich schließlich. »Deine Jana kann ihren Platz gerne wiederhaben. In dieser bekloppten Klasse bleibe ich sowieso nicht lang!«

Nadine schnappt nach Luft und Frau Winds gütiges Lächeln wirkt langsam etwas angestrengt. »Nun aber mal Schluss mit dem Hickhack, Kinder! Ich bin sicher, dass sich Pia bei uns bald sehr wohlfühlen wird.« Frau Wind ignoriert mein energisches Kopfschütteln und fährt fort: »Vielleicht möchte uns Pia ja mal erzählen, wo sie herkommt. Damit wir besser verstehen, warum ihr der Abschied so schwergefallen ist. Na, Pia, magst du?«

Die sollen jetzt bloß nicht denken, dass ich hier eine Tränennummer hinlege! Da können die lange drauf warten! Ich erzähle meinen lieben Mitschülern jetzt einfach, wie bescheuert ihr Kaff ist, und fertig.

»Also, ich komme aus Hamburg«, lege ich los, »falls ihr das hier schon mal gehört habt! Hamburg ist eine richtige Großstadt mit einem riesigen Hafen und so. Da ist immer was los! Das ist echt was anderes als euer ödes, verschlafenes Röllheim hier! In Hamburg fängt keiner gleich an zu blöken, wenn einer mal ein bisschen anders aussieht! Da war ich in einer Superklasse und jede Woche auf 'ner Geburtstagsparty eingeladen. Und wenn mein Vater hier mit seiner Arbeit fertig ist, dann gehen wir nach Hamburg zurück. Jawoll.« (Mensch, was sage ich denn da? Davon war doch nie die Rede!)

»Dann hau doch am besten gleich wieder ab«, zischt der Dicke im Ringelhemd. Beifälliges Gemurmel.

Frau Wind merkt, dass das Ganze schon wieder aus dem Ruder läuft, und versucht schnell abzulenken: »Erzähl uns doch mal, was dein Vater arbeitet, Pia! Das interessiert die anderen Kinder bestimmt.«

»Mein Vater schreibt Drehbücher fürs Fernsehen, aber ich glaube nicht, dass das diese Provinznasen hier kapieren!«

Irgendwie ist mir jetzt alles egal. Ich weiß genau, dass ich mich gerade für alle Zeiten in dieser Klasse unmöglich gemacht habe. Aber ich konnte einfach nicht anders. Ich musste mich doch wehren, egal wie, oder? Gut, vielleicht bin ich ein bisschen übers Ziel hinausgeschossen ... Aber schließlich haben die doch angefangen! Die haben mich ausgelacht! Da konnte ich doch nicht zeigen, wie schrecklich ich mich fühle – und verdammt noch mal – wie allein ... Ach, Scheiße!

Frau Wind seufzt. Sie gibt auf. Ich sehe es ihren Augen an. Wahrscheinlich überlegt sie gerade, warum sie nicht doch Buchhändlerin geworden ist, wie ihre Mutter es ihr immer geraten hat. Und ob es wirklich schon zu spät ist für eine Umschulung.

»Hmm, ja, vielleicht machen wir erst mal mit

dem Unterrichtsstoff weiter«, sagt sie unent-
schlossen, »und dann …«

Da klingelt es. Pause. Alle springen auf. Nur
ich bleibe auf meinem Stuhl sitzen und schaue aus
dem Fenster. Ohne wirklich etwas zu sehen.
Nachher werde ich Mama fragen, ob sie mir nicht
doch Privatunterricht geben kann.

1·2·3·**4**·5·6·7·8·9·10·11·12·13·14

Heute kommt Mama gar nicht erst auf die Idee, mir die bewusste Frage (»Wie war's denn heute?«) zu stellen. Ein Blick in mein Gesicht sagt anscheinend genug über meinen ersten Schultag.

Mama stellt einen Teller mit Spiegeleiern auf den Tisch und setzt sich zu mir.

Erst nach einer Weile fragt sie: »So schlimm?«

Ich nicke nur und hacke meine Gabel ins Eigelb, als wär's der Dicke im Ringelhemd.

Mama bohrt nicht weiter und lässt mich in Ruhe meine Spiegeleier zermetzeln.

44

Basti, der kurz darauf in die Küche gestürmt kommt, beweist deutlich weniger Einfühlungsvermögen: »Na, Strubbelkopf, hast du dich schon mit allen verkracht? Oder warum machst du so ein Gewittergesicht? Also, bei mir war's echt gut!«

Basti strahlt von einem Ohr zum anderen. Am liebsten würde ich ihn mit Captain Flynn auf eine schöne weite Reise ins Universum schicken! Meine demonstrative Nullreaktion hält meinen großen Bruder nicht davon ab, uns ausführlich von seiner neuen Klasse vorzuschwärmen:

»... war natürlich ein bisschen krampfig am Anfang, aber dann stellte sich raus, dass zwei Leute in meiner Klasse auch von Hamburg hierhergezogen sind. Ist das nicht irre? Ben kommt aus Hamburg-Hamm und Alissa hat bis vor einem halben Jahr noch in Eimsbüttel gewohnt, genau wie wir! Ist das nicht voll witzig?«

Wirklich superwitzig. Ich könnte mich ausschütten vor Lachen. Aber etwas an Bastis Stimme hat mich aufhorchen lassen. Die Art, wie er den Namen des Mädchens ausgesprochen hat. So butterweich.

»Alissa hat in Hamburg auch in einer kleinen Theatergruppe gespielt und hier in Röllheim hat sich vor kurzem etwas Ähnliches ergeben. Vielleicht kann ich da ja mit einsteigen. Alissa meint jedenfalls ...«

Mensch, mein lieber Bruder ist ja gar nicht mehr zu stoppen! Ich selber war zwar noch nie so richtig verknallt. Aber so viel weiß sogar ich: Wenn jemand einen unerträglichen Drang verspürt, stundenlang über eine bestimmte Person zu labern, dann hat es ihn arg erwischt!

Schon nach einem Tag Schule hat Basti die untreue Laura vergessen. Das nenne ich Tempo! Aber irgendwie geht mir Basti tierisch auf den Geist mit seiner guten Laune. Auch wenn's gemein klingt: Da war mir seine Trauerkloßzeit hundertmal lieber!

Am liebsten würde ich mich gleich nach dem Mittagessen an den Computer setzen und Caro per Mail von meiner unterirdischen neuen Klasse berichten. Wir haben nämlich versprochen uns regelmäßig Mails zu schicken. Das haben wir in Hamburg auch manchmal gemacht, obwohl wir ja jeden Tag zusammen waren. Inzwischen kann ich auch schon ganz gut tippen. Aber Mama macht mir einen Strich durch die Rechnung: Ich soll ihr beim Einsortieren der Bücher helfen. Boah, das dauert bestimmt Stunden! Meine Eltern haben nämlich total viele Bücher. Papa gehört zu diesen merkwürdigen Menschen, die kein beschriebenes Blatt Papier wegschmeißen können. Er hortet einfach alles: Musikzeitschriften von 1975 und seine Biobücher aus der Grundschule. Weil es ja sein könnte, dass ihn irgendwann noch mal brennend interessiert, wie das mit den drei (oder fünf?) Mägen der Kuh ist ... Nicht zu glauben!

Als Mama und ich gegen Abend endlich mit den Büchern fertig sind, hockt natürlich Papa am Computer, um seine komische neue Idee für Captain Flynns Zeitsprünge in die Tasten zu hämmern. Papa war zwar heute in seinem neuen Büro bei TriCompany, aber sein Computer dort war angeblich noch nicht angeschlossen.

»Wie lange brauchst du noch?«, frage ich, obwohl ich genau weiß, dass Papa darauf sowieso immer das Gleiche antwortet – nämlich: »Bin-gleich-fertig-noch-zehn-Minuten-ja?« Ohne den

Blick vom Bildschirm zu wenden und um dann noch gut drei Stunden weiterzuschreiben ...

Papa kommt noch nicht mal zum Abendessen runter. Als er endlich das Feld räumt, ist es schon fast Zeit, schlafen zu gehen. Sein Flynn-Text ist noch auf dem Bildschirm. Ob ich mal reinlese? Papa hat sicher nichts dagegen. Und auf zehn Minuten kommt's jetzt auch nicht mehr an.

Also lese ich los:

Aha, Captain Jane Flynn ist mal wieder in einer scheinbar ausweglosen Situation: Bitterböse außerirdische Höllenschweine haben ihr Raumschiff überfallen und das automatische Steuerungssystem außer Kraft gesetzt. Hilflos steuern Flynn und ihre Crew auf einen gefräßigen schwarzen Sternenschlund zu, der das Raumschiff zu verschlingen droht. Ein Ausweichmanöver ist unmöglich, weil die Steuerung des Schiffes von den Höllenschweinen komplett blockiert wurde. Was tun? Die Lage ist derart verzweifelt, dass sich Captain Flynn in letzter Sekunde auf den Vorschlag eines übergelaufenen Höllenschweins einlässt: Besagtes Untier verrät Flynn eine supergeheime, rattenscharfe Tastenkombination, mit der per Computer die Zeit zurückgedreht werden kann! Wenn das Ganze funktioniert, könnte Flynn die gemeine Aktion der Höllenschweine einfach rückgängig – das heißt: ungeschehen – machen und ihr Raumschiff retten!

An Bord herrscht atemlose Spannung, als Jane Flynn mit zitternden Fingern die geheime Tastenkombination drückt: Wird es klappen? Wird es Captain Jane gelingen, das Raumschiff zurück ins Gestern zu katapultieren und so dem schrecklichen Tod im Sternenschlund zu entkommen? Plötzlich wird es dunkel um Flynn und ihre Crew. Als die Bordbeleuchtung Sekunden später wieder aufflackert, ist alles vorbei: Die Höllenschweine sind verschwunden, der Sternenschlund noch in weiter Ferne, das Steuerungssystem funktioniert wie am Vortag. Und McSoft, der Erste Offizier, hat einen Puddingfleck auf seiner Uniform, so wie gestern vor dem Auftauchen der Höllenschweine! Die Crew jubelt. Das Zurückdrehen der Zeit hat geklappt. Jetzt braucht Jane Flynn nur noch schnell den Kurs zu ändern und das Raumschiff wird den gemeinen Höllenschweinen nie begegnen ... Das Schicksal ist besiegt! Ich atme auf. Ganz schön spannend! Und keine schlechte Idee, die Papa da hatte! Schließlich kennt jeder Computerbenutzer diese komische Taste, mit der Befehle rückgängig gemacht werden können. Das ist praktisch, wenn man zum Beispiel versehentlich irgendwas gelöscht hat. Ja, und mit einem ähnlichen Mausklick hat Captain Flynn eben jetzt nicht Befehle rückgängig gemacht, sondern Ereignisse gelöscht!

Ich lasse Papas Text zurücklaufen und schaue mir die geheime Tastenkombination zum Zurückdrehen der Zeit genau an. Ob ich es mal ausprobiere? Nur so zum Spaß natürlich ... Einfach aus Quatsch! Funktioniert ja sowieso nicht, alles pure Fantasy!

Jeder weiß, dass man am Lauf der Zeit nicht drehen kann.

Plötzlich habe ich ein Kribbeln im Bauch. Das Kribbeln wird stärker und stärker, breitet sich in meinem ganzen Körper aus, steigt bis in die Haarwurzeln. Ich habe richtig Schweiß auf der Stirn. Ich zittere. Egal. Nicht nachdenken. Einfach machen. Wie von selbst greifen die Finger

meiner linken Hand die geheime Tastenkombination. Ganz schön kompliziert. Vier Finger brauche ich dafür und die Maus in der anderen Hand.
Aber dann schaffe ich es:

Klick!

Um mich herum wird es dunkel.

Als der Wecker klingelt, ziehe ich mir die Decke über die Ohren. Muss ich jetzt wirklich aufstehen und wieder in diese gruselige Schule wandern? Ist mein Leben ab jetzt eine endlose Geisterbahnfahrt?

Mama steckt den Kopf in die Tür: »Komm schon, Pia, du willst doch nicht gleich heute zu spät kommen, oder?«

Gähnend stehe ich auf. Komisch, hat Mama nicht gestern früh genau das Gleiche gesagt? Egal. Wahrscheinlich sage ich auch hundertmal die Woche dieselben Sätze: Nein, ich bin nicht müde. Ich habe wirklich keine Hausaufgaben auf. Mein Zimmer ist doch aufgeräumt! Das war ich nicht! Und so weiter ...

Oh, da liegen ja schon meine Klamotten für heute bereit! Kann mich gar nicht erinnern die Sachen abends schon rausgesucht zu haben. Soll ich noch mal den Pulli von gestern anziehen? Meinetwegen!

Mit halb geschlossenen Augen stolpere ich in die Küche. Mama hat ja schon wieder Brötchen geholt! Und auf meinem Platz liegt wieder eine kleine Schultüte. Merkwürdig ... Ich luge hinein: Mäusespeck, Lakritz, Schokomünzen.

Ich grinse Mama an. »Du hast bestimmt gemerkt, dass ich die Süßigkeiten von gestern schon komplett verputzt habe, was?«

Mama schaut mich irritiert an. »Welche Süßigkeiten von gestern?«

»Na, die gestern in meiner Schultüte waren«, erkläre ich.

Mama scheint auch noch nicht so ganz ausgeschlafen zu sein. Sonst ist sie nicht derartig begriffsstutzig.

Meine Mutter schüttelt den Kopf. »Was redest du denn da, Schätzchen? Die Schultüte habe ich dir eben erst hingelegt. Schließlich ist doch heute dein erster Schultag hier, Pia. Pia?«

Ich muss blass geworden sein oder knallrot. Oder quittengelb. Ich weiß nicht. Jedenfalls muss ich mich erst mal hinsetzen. Und plötzlich fällt mir alles wieder ein: die geheime Tastenkombination des Höllenschweins, der Mausklick zum Zurückdrehen der Zeit – es hat funktioniert! Genau wie bei Captain Flynn! Das ist doch unmöglich!

Aber es gibt gar keinen Zweifel: Ich habe tatsächlich die Zeit zurückgedreht! Heute ist mein erster Schultag! Nicht mein zweiter, nein, mein erster!

Heute ist gestern!!!

Unglaublich!

»Na komm, iss erst mal was!« Mama schneidet ein Brötchen auf und schenkt mir Kakao ein. Ein Tropfen geht daneben. Fasziniert starre ich auf den langsam größer werdenden Fleck. Genau wie gestern – oder vielmehr: genau wie in der ersten Fassung dieses Tages!

»Basti … ist schon w-weg?«, frage ich, obwohl ich die Antwort schon weiß.

»Ja, sein Schulweg ist ja um einiges länger als deiner.« Mama schaut mich besorgt an. »Was ist denn nur los, Pia? Du bist so merkwürdig heute Morgen! Bist du aufgeregt wegen deiner neuen Schule?«

Ich nicke nur und versuche Mamas prüfendem Blick auszuweichen. Ich meine, wie soll ich ihr das erklären? Soll ich sagen: Weißt du, Mama, für

mich ist heute eigentlich morgen. Ich habe nämlich gestern Abend so eine komische Tastenkombination am Computer gedrückt und damit die
Zeit zurückgedreht. Ist das nicht lustig? Ist das
nicht einfach rattenscharf?

Verdammt, ich muss mich jetzt zusammenreißen, sonst kriege ich gleich einen hysterischen
Anfall oder so was.

Meine Mutter räumt das Geschirr zusammen
und lächelt mir zu. »Komm, wir müssen los!«

Ich setze meinen Ranzen auf und rücke vor
dem Spiegel den Tigerpropeller von Caro zurecht.

Heute habe ich keine Befürchtungen, dass
Mama den ganzen Weg auf mich einredet. Ich
weiß ja schon, dass sie schweigen wird. Bis wir
über den leeren Schulhof gehen. Angespannt
warte ich darauf, dass Mama den Mund aufmacht.
Wird sie wieder das Gleiche sagen? Genau das
Gleiche wie gestern?

»Willst du diese große Schleife wirklich im
Haar lassen, Pia?«, fragt Mama.

Nicht zu fassen! Alles wiederholt sich. Wie
ein Film, der noch mal abgespult wird. Nur dass
Wiederholungen sonst immer langweilig sind.

Aber diese hier ist richtig aufregend. Wie gestern tue ich so, als ob ich nicht verstehe, was Mama meint. »Klar, wieso nicht?«

»Na ja«, Mama zuckt die Achseln, »nicht dass du gleich einschnappst, wenn einer einen Spruch darüber macht …«

Schon hole ich Luft, um »… sollen sie doch« zu sagen, da halte ich inne.

Stopp!

Alles läuft genau wie gestern. Alles, nur ich selber nicht! Ich allein habe die Chance, den Ablauf dieses Tages komplett zu verändern! Warum soll ich diese Chance nicht nutzen? Warum soll ich nicht heute einfach mal eine ganz andere Pia sein? Ich könnte doch zur Abwechslung eine neue Mitschülerin wie aus dem Bilderbuch sein: lieb, brav, fröhlich und angepasst! So, wie alle es sich wünschen … Ob ich das überhaupt hinkriege? Ach, das probier ich jetzt einfach mal aus! Wird bestimmt lustig!

»Vielleicht hast du Recht, Mama«, sage ich also, ziehe mir Caros riesigen Tigerpropeller aus dem Haar und drehe meine Wolle schnell zu einem braven Knoten.

Schon stehen wir vor dem Büro der Schulleiterin. Mama klopft.

»Guten Tag, Frau Dr. Mücke-Martens«, sage ich höflich, als die Direktorin herausschießt. Verblüfft starrt sie mich an: »Nanu, du weißt ja schon meinen Namen!«

Während Mama die Papiere unterschreibt, die sie bereits gestern unterschrieben hat, denke ich eifrig darüber nach, wie ich mich verhalten muss, damit alles ganz anders läuft als gestern im ersten Durchgang.

Mama ist fertig. Wenn ich mich recht erinnere, müsste jetzt der Säusel-Einsatz von Frau Mücke-Martens kommen. Ah, da ist er schon: »So, jetzt kann die Mutti nach Hause gehen und ich stelle dir deine Mitschüler vor. Na, wie wäre das?«

Auch im zweiten Aufguss kann ich der Mücke-Martens nichts abgewinnen. Sie liegt mir einfach nicht. Aber meine Klassenlehrerin, Frau Wind, die ist echt nett! Schon die offene Art, wie sie mir lächelnd die Hand entgegenstreckt: »Ich bin Sabine Wind, deine Klassenlehrerin, und du musst Pia sein, stimmt's?«

»Ja, ich bin die Pia Taler aus Hamburg«, sage

ich Frolic-fröhlich und klopfe mir im Geiste auf die Schulter, weil ich meine neue Rolle so gut angehe.

Frau Wind strahlt mich an. Wahrscheinlich hat sie sich einen so herzigen Neuzugang wie mich schon immer gewünscht.

»Das ist also deine neue Klasse, Pia!«, sagt sie und zeigt mit der mir wohlbekannten weit ausholenden Geste auf meine Mitschüler, die mich neugierig beäugen. So, jetzt habe ich die Chance, es besser zu machen als gestern.

»Hallo!«, strahle ich in die Menge. »Ich war ganz schön gespannt auf die Schule hier und auf euch natürlich. Aber eigentlich bin ich jetzt schon sicher, dass es mir super gefallen wird!«

Habe ich ein bisschen dick aufgetragen? Einige Blicke werden misstrauisch und ein Mädel in Rosa kichert sogar. Egal, da sehe ich jetzt mal großzügig drüber hinweg.

»Tja, Pia«, sagt Frau Wind, während ich weiter lächele wie ein Honigkuchenpferd, »herzlich willkommen in unserer Klasse! Wir freuen uns alle, dass …«

Da passiert es!

Hinten am letzten Tisch haben zwei Jungs zu flüstern begonnen, jetzt wippt der eine mit seinem Stuhl und – wumm – kippt mit einem Aufschrei nach hinten!

Die Klasse grölt. »Aber Lukas!«, sagt Frau Wind tadelnd. »Heb deinen Stuhl auf und lass den Unsinn, ja?«

Lukas? Ich schaue genauer hin. Klar, das ist wieder der, der gestern so dämlich gekichert hat über meine Tigerschleife. Mit dem alles angefangen hat! Scheint ja echt ein ziemlicher Depp zu sein.

»Vielleicht hat sich der Lukas ja wehgetan«, sage ich mitleidig in das Kichern der anderen hinein. Meine neue brave Rolle beginnt mir Spaß zu machen.

Lukas rappelt sich hoch und starrt mich verblüfft an. »Nee, schon gut, aber wenn du willst, kannst du neben mir sitzen.« Er zeigt auf seinen Neben-

mann. »Der Jens hier wollte sowieso gern weiter nach vorn.«

Huch! Ich weiß gar nicht, was ich auf dieses großzügige Angebot hin sagen soll. Und der gute Jens scheint bis zu diesem Zeitpunkt auch noch nicht gewusst zu haben, dass er eigentlich viel lieber vorn sitzen will.

»Neben mir ist auch frei!« Oje, das fette Pfannkuchengesicht! Und Nadine, deren Platznachbarin ja »nur« krank ist, deutet gleichfalls eifrig auf den leeren Stuhl neben sich.

Das ist ja nicht zu glauben! Nur weil ich bisher ununterbrochen gegrinst habe und so

tue, als ob ich hier alles toll finde, liegt mir gleich die halbe Klasse zu Füßen! Direkt unheimlich.

Frau Wind strahlt, als hätte sie diesen fröhlichen Empfang selbst gebacken. »Vielleicht möchte uns Pia ja mal erzählen, wo sie herkommt. Na, Pia, magst du?«

Klar, kein Problem!

»Also, ich komme aus Hamburg«, fange ich an (gleicher Start wie in der ersten Fassung, jetzt muss ich aber schnell umschwenken), »kennt ihr sicher. Hamburg ist eine Großstadt mit einem riesigen Hafen und so. Da ist immer was los. Aber in Hamburg gibt es auch viele Autos, Lärm, breite Straßen, riesige Häuser. Wenn man da mal einen richtigen Wald sehen will, muss man erst stundenlang mit dem Auto rausfahren. Hier in Röllheim habt ihr das alles vor der Tür. Das ist schon toll! Echt, ich find's richtig gut hier!«

So, mehr Lobenswertes fällt mir im Moment zu Röllheim nicht ein. Ich hatte ja nicht viel Zeit, mich vorzubereiten.

Aber da springt Frau Wind schon ein, als hätte sie nur auf ihren Einsatz gewartet: »Erzähl uns

doch mal, was dein Vater arbeitet, Pia! Das interessiert die anderen Kinder bestimmt!«

Ach ja, die Frage hatte ich ganz vergessen.

»Na ja, mein Vater denkt sich Geschichten fürs Fernsehen aus«, erkläre ich leise, »genauer gesagt, für Trickfilme.«

»Echt?!« Der Junge mit dem Pfannkuchengesicht reißt Mund und Nase auf. Jetzt wird es heikel. Ich muss aufpassen, dass das mit Papas Job nicht angeberisch klingt.

»Das hört sich zwar immer toll an«, sage ich bescheiden, »aber mir wär's oft lieber, Papa hätte einen ganz normalen Beruf, mit normalen Arbeitszeiten und so.«

Klar, alle nicken. Das kam gut an. Und irgendwie habe ich damit ja noch nicht mal die Unwahrheit gesagt.

In der Pause spiele ich meine brave Rolle fröhlich weiter: Ich springe mit Nadine und ihren Freundinnen Gummitwist (obwohl ich Gummitwist schon immer schrecklich fand und mir dabei mal übel den Fuß verknackst habe). Anschließend spiele ich mit Lukas und Marco (das Pfannkuchengesicht hat einen Namen!) Autoquartett mit Trumpfen (dabei finde ich sogar abendliches Schäfchenzählen spannender als das Vergleichen von PS-Zahlen, Umdrehungen und Beschleunigungszeiten).

Zur Krönung lasse ich mir in der Biostunde von unserer rotwangigen Biolehrerin Frau Wohltat eine Spinne auf die Hand setzen, obwohl ich eine Heidenangst vor diesen Viechern habe.

Als es endlich zum Schulschluss klingelt, sind alle von mir begeistert: sowohl meine Klassenlehrerin als auch meine lieben Mitschüler! Nur ich selber bin total erschöpft und mir ist fast ein bisschen schlecht. Was mache ich hier eigentlich? Warum habe ich mich derartig verstellt? Ich meine, so bin ich doch in Wirklichkeit gar nicht. So nett und lieb und bescheiden. Ich bin Pia Propella! Ich bin frech und albern und laut. Ich mache doch meistens, was mir gefällt! Zugegeben, ich zeige nicht gerne Schwächen und so. Aber wenn's nötig ist, kann ich mich wehren, das habe ich ja gestern wieder gezeigt. Nur, mit welchem Ergebnis?

Aber eins ist klar: Heute habe ich voll überzogen! Richtig Theater habe ich hier gespielt! Es hat ja auch Spaß gemacht, mal ganz anders zu sein als sonst. Aber jetzt weiß ich, wie es sich anfühlt, wenn man einfach nur nett ist. Wenn man sich so verhält, dass es für die anderen schön unkompliziert ist. Aber wie komme ich da jetzt wieder raus? Die fallen doch hier alle in Ohnmacht, wenn ich mich plötzlich wieder normal verhalte – also ich meine, Pia-normal!

Da fällt mir etwas ein: Vielleicht kann ich ja heute Abend einfach noch mal die Zeittaste des Höllenschweins betätigen?! Dann wiederhole ich den Tag eben ein zweites Mal! Wahrscheinlich könnte ich jetzt jahrelang meinen ersten Schultag in Röllheim erleben. Immer wieder und wieder. So lange, bis ich eine Fassung gefunden habe, die mir rundum gefällt. Seltsame Vorstellung ...

Schon beim Mittagessen wird mir klar, dass ich es nicht ertragen würde, diesen Tag auch nur ein Dutzend Mal durchzuziehen! Schließlich würde das bedeuten, dass ich ab jetzt jeden Tag Spiegeleier vorgesetzt bekomme. Spiegeleier, Spiegeleier und wieder Spiegeleier. Klar, wenn es Spaghetti wären, könnte ich dieses Einerlei vielleicht eine Zeit lang aushalten. Aber nicht bei Spiegeleiern! Ich überlege, ob es möglich wäre, das Schicksal zu beeinflussen, indem ich einfach abends alle Eier aus dem Kühlschrank verschwinden lasse. Ich meine, dann bliebe Mama ja gar nichts übrig, als etwas anderes zu kochen. Oder würde sie, von einem inneren Zwang getrieben, prompt losmarschieren, um Eier einzukaufen, weil es eben an meinem ersten Schultag in Röllheim Spiegelei geben muss?

Was ich ebenfalls nicht in der hundertsten Wiederholung erleben möchte, ist Bastis begeisterte

Schilderung seiner neuen Klasse. Echt, diese butterweiche Art, mit der er den Namen Alissa ausspricht, treibt mich schon heute Mittag, als ich mir das Ganze zum zweiten Mal anhören muss, auf die Palme!

Aber natürlich hat es auch große Vorteile, schon vorher zu wissen, was passieren wird. Da mir klar ist, dass mich Mama exakt um Viertel nach drei bitten wird, mit ihr zusammen dieses überdimensionale Bücherregal einzuräumen, mache ich mich um drei Uhr kurzerhand aus dem Staub! Ich lege Mama einen Zettel hin, dass ich ein bisschen durch Röllheim-City (haha!) schlendern werde, und verdrücke mich unauffällig. Das ist natürlich nicht besonders nett von mir, aber ich habe wirklich keine Lust, heute zum zweiten Mal Papas dicke Schmöker zu stemmen!

Lustlos streife ich durch die Gassen. In Röllheim gibt es nicht viel zu sehen. Und ehrlich gesagt bin ich es auch nicht gewohnt, einen Nachmittag ganz allein zu verbringen. In Hamburg war ich nachmittags meistens mit Caro zusammen oder mit anderen aus meiner Klasse. So ganz auf mich gestellt weiß ich gar nichts Richtiges mit mir anzufangen. Und nach Hause kann ich ja auch nicht, weil da Mama mit ihren unausgepackten Bücherkisten lauert.

Also stiere ich in die Schaufenster, ohne wirklich was zu sehen, kicke Steinchen vor mir her und gerate mehr und mehr ins Grübeln. In der Schule war ich so mit mir und meiner neuen Rolle beschäftigt, dass ich gar keine Zeit hatte, richtig darüber nachzudenken, was seit gestern Abend mit mir geschehen ist. Aber jetzt wirbeln meine Gedanken durcheinander, überschlagen sich wie in einer Loopingbahn: die geheime Tastenkombination des Höllenschweins, der Zeitsprung zurück ins Gestern ... Wie konnte das alles nur passieren? So was wie Zeitsprünge und Zaubertasten gibt es doch nicht! Ist das vielleicht alles gar nicht wahr? Ist in Wirklichkeit gar nichts geschehen? Bilde ich mir etwa nur ein, dass sich dieser Tag wiederholt? Aber das würde ja heißen, dass ich verrückt bin, oder? Schon sehe ich im Geiste die Schlagzeile der Röllheimer Nachrichten vor mir:

Völlig verrückt: Schülerin nach Umzug komplett durchgeknallt! *Wie unser Reporter Rudi Rasch am heutigen Mittwoch erfuhr, wurde die zehnjährige Schülerin Pia Propella in die Nervenheilanstalt Ruhigblut in Röllheim eingeliefert. Der behandelnde Arzt Prof. Dr. Durchgedreht konnte den verzweifelten Eltern kaum Hoffnung auf die Genesung ihrer Tochter machen, die sich anscheinend von Höllenschweinen verfolgt fühlt. Prof. Dr. Durchgedreht erklärte, die plötzliche Erkrankung des bedauernswerten Mädchens sei wahrscheinlich eine Folge des* *nicht verarbeiteten Umzugs der Familie von Hamburg nach Röllheim.*

Ich fange an mir selber leidzutun. Und ich kriege Angst. Das Ganze wächst mir über den Kopf! Ich muss dringend mit irgendjemand über das reden, was passiert ist. Aber mit wem? Mama? Nein, kommt nicht in Frage! Die denkt doch nur noch über diesen blöden Umzug nach. Bei Mama endet im Moment jedes längere Gespräch mit Porzellan-Sortieren, Gläser-Einräumen oder Listen-Abarbeiten. Mama hat den Kopf einfach nicht frei für solche »Hirngespinste«. Sie würde sofort vermuten, ich hätte mir diese verrückte Geschichte nur ausgedacht, um auf mich aufmerksam zu machen. Weil ich mich vernachlässigt und zu wenig beachtet fühle in all dem Umzugsstress oder so. Mama würde sofort eine schlüssige Psycho-Erklärung aus dem Hut zaubern. Das kann ich abhaken!

Und mit Basti kann ich auch nicht reden. Der hat einfach nicht genug Fantasie für so was. Außerdem denkt er sowieso immer schon, dass seine kleine Schwester einen mittelgroßen Spleen hat. Bleibt nur noch Papa. Ja, klar, Papa! Wieso komme ich erst jetzt darauf, mit meinem Vater zu sprechen? Wahrscheinlich, weil er so oft nicht da ist – also nicht körperlich abwesend, sondern im Kopf total abgedriftet. Dabei ticken wir doch irgendwie ähnlich, Papa und ich. Außerdem ist er schließlich derjenige, der sich die ganze verrückte Geschichte mit dem Zeitsprung und den Höllenschweinen ausgedacht hat. Also kann er mir ja vielleicht auch erklären, was da eigentlich passiert ist! Also, auf zu Papa!

Orientierungslos schaue ich mich um. Wo bin ich hier eigentlich? Bin einfach so gelaufen, ohne auf den Weg zu achten. Ah, da ist ja der alte Bahnhof von Röllheim. Von hier aus ist es gar nicht mal weit zu der Fabrikhalle, in der die TriCompany jetzt ihren Sitz hat und in der auch Papa seit heute arbeitet. Ich mache mich eilig auf den Weg. Jetzt, da ich mich entschlossen habe, kann ich es kaum noch abwarten, Papa diese ganze verrückte Geschichte zu erzählen. Dahinten sehe ich schon das Dach der Fabrikhalle. Was für ein großer Kasten! Einen Moment zögere ich. Wahrscheinlich wird Papa nicht gerade begeistert sein, dass ich ihn so plötzlich überfalle. Er lässt sich bei seiner

Arbeit nur ungern unterbrechen und heute ist schließlich … klar, heute ist sein erster Arbeitstag hier! Egal, da muss Papa jetzt durch! Ob er will oder nicht.

O je, wer kommt mir denn da entgegen und winkt begeistert? Lange blonde Haare, Brille … Oh, nein! Nadine! Wieso muss die mir denn ausgerechnet jetzt über den Weg laufen?

Nadine ist offensichtlich hocherfreut über unser Zusammentreffen: »Hey, Pia, was machst du denn hier?«

Dummerweise fällt mir so schnell keine passende Ausrede ein. »Ach, ich wollte nur kurz meinen Vater besuchen.«

»Der arbeitet dadrin?« Beeindruckt deutet Nadine auf die Fabrikhalle hinter uns.

Ich nicke. »Ja, da hat Papa jetzt sein Büro. Manchmal arbeitet er aber auch zu Hause.«

»Hier machen die diese ganzen tollen Trickfilme?«, fragt Nadine begeistert.

Dieses Mal weiß ich auch ohne Zeittaste und Wiederholung, was auf mich zukommen wird. Ich sehe es Nadine an der Nasenspitze an. Und da legt sie auch schon los: »Könnte ich vielleicht mitkommen, Pia? Ich würde sooo gern mal sehen, wie ein Trickfilm gemacht wird, weißt du? Ich bin auch mucksmäuschenstill, versprochen!«

Ich hab's ja geahnt! So ein Mist! Nadine werde ich jetzt nicht mehr los. Sie ist ja auch wirklich ganz nett, aber sie passt mir halt im Moment nicht in den Kram. Wenn sie neben mir steht, kann ich nicht mit Papa in Ruhe reden. Aber wenn ich jetzt ablehne mit ihr in Papas Büro zu gehen, ist sie sauer. Und um sie gnädig zu stimmen, muss ich wieder 'ne halbe Stunde mit ihr Gummitwist springen. Das halte ich heute nicht noch mal aus! Echt nicht!

»Also gut, Nadine, aber nicht lange, ja? Mein Papa ist immer ziemlich im Stress. Ich weiß nicht, ob er überhaupt Zeit für uns hat.«

Nadine nickt eifrig. »Alles klar!«

Kurz darauf steigen wir die Treppe zu Papas neuem Büro hinauf. Die Fabrikhalle, in der Klaus mit seiner TriCompany jetzt zu Hause ist, sieht von innen total modern aus: riesige Fenster, Stahlträger, bunte Plakate von fertigen Trickfilmproduktionen und Stellwände mit eilig drangepinnten

73

Zeichnungen und Skizzen. Einige Bilderfolgen, Storyboards genannt, zeigen den Handlungsablauf von Captain-Flynn-Folgen, die noch in der Planung sind.

Nadine bleibt immer wieder stehen, um sich mit großen Augen umzuschauen. Klar, ich habe das schon oft gesehen, aber beim ersten Mal ist das alles hier sicher ultrainteressant!

Papa sitzt in einem großen, fast leeren Raum, der jetzt sein Büro darstellt, und fummelt an einem Computer herum. Er blickt nicht mal auf, als wir reinkommen. »Ich krieg das Ding einfach nicht zum Laufen, Klaus«, murmelt er nur. »Hat die Besprechung schon angefangen?«

»Ich bin's doch, Papa!«

»Pia?!« Papa fährt auf seinem Drehstuhl herum und starrt mich so verwundert an, als hätte er zwischenzeitlich vergessen, dass er eine Tochter hat. »Was machst du denn hier?«

Wenigstens steht er jetzt auf und geht Nadine und mir entgegen. Allzu begeistert sieht er allerdings nicht aus. »Du, Pia, ich habe nur wenig Zeit. Heute ist schließlich mein erster Tag hier und …«

»Das ist übrigens Nadine«, unterbreche ich Papa schnell, »aus meiner Klasse.«

»Ah, hallo, Nadine!« Papa lächelt Nadine zu und schüttelt ihr die Hand. Anscheinend hat er inzwischen begriffen, dass er sich ein bisschen zusammenreißen muss. Schließlich weiß er auch, dass es für mich wichtig ist, in Röllheim »nette neue Freunde« (wie Mama das immer nennt) zu finden. Und mit einem Vater, der sich gleich beim ersten Treffen unmöglich benimmt, dürfte das schwierig werden.

Aber Nadine scheint an Papas Verhalten nichts auszusetzen zu haben. Sie strahlt ihn mit unverminderter Begeisterung an. »Guten Tag, Herr Taler! Ich finde das ja unheimlich aufregend, was Sie so machen. Echt!«

»Ach, tatsächlich?« Wie üblich ist Papa angesichts einer offenkundigen Bewunderin (auch wenn diese erst zehn Jahre alt ist) sichtlich geschmeichelt. Und so nimmt er sich wenigstens die Zeit, uns kurz durch die übrigen Büros zu führen und uns einigen der Zeichner vorzustellen, die Jane Flynn und ihrer Crew Leben einhauchen.

Nadine wundert sich, dass die Zeichner nicht am Computer arbeiten, sondern an Leuchttischen stehen und richtig zeichnen. Papa erklärt, dass die Bilderfolgen für wirkliche Trickfilme noch immer Stück für Stück mit der Hand gemacht werden – und nicht am Computer entstehen, wie viele Leute glauben.

»Hier in der TriCompany werden aber nur die verschiedenen Figurentypen gezeichnet und der Handlungsablauf festgelegt«, erklärt Papa, »die eigentliche Animation, also die Bewegung der Bilder, für die Zigtausende von einzelnen Zeichnungen gebraucht werden, wird im Ausland gemacht, weil das billiger ist.«

Später dürfen wir uns dann in einem kleinen Vorführraum einen ganz neuen Trickfilm anschauen. Erst hier vertraut mir Nadine an, dass sie eigentlich gar keine Trickfilme mag und viel lieber mit ihrer älteren Schwester »Gute Zeiten schlechte Zeiten« guckt. Ich unterdrücke ein Kichern. Gut, dass Papa das nicht mehr gehört hat!

Für eine Weile habe ich die Sache mit dem Zeitsprung fast vergessen. Schließlich konnte sich dadurch, dass ich heute Nachmittag etwas ganz anderes gemacht habe als im ersten Durchlauf dieses Tages, nichts wiederholen! Erst später, beim Abendessen, geht es wieder los: Fasziniert beobachte ich, wie Bastian nach der Mettwurst greift, um sich dann doch für die Leberwurst zu entscheiden. Alles genau wie gestern! Bis aufs i-Tüpfelchen: Mamas hektische Handbewegungen, das

Haar auf der Butter, die Orangensafttüte, die fast vom Tisch fällt ... Es ist zum Verrücktwerden!

Papa sitzt nicht mit uns am Abendbrottisch. Er hockt am Computer, um seine Idee mit Captain Flynn und den Höllenschweinen in die Tasten zu hauen! Wie gestern um die gleiche Zeit. Wieso eigentlich immer gestern? Im Prinzip müsste es heißen: wie in der ersten Fassung dieses Tages! Ach, das ist mir viel zu kompliziert! Ich bleibe einfach bei gestern.

Gestern also habe ich brav gewartet, bis Papa endlich fertig war am Computer. Anschließend habe ich seine Geschichte gelesen und dann mit einem Mausklick die Zeit zurückgedreht. Ob ich das heute noch mal tue? Ich überlege: Will ich wirklich meinen ersten Röllheimer Schultag ein drittes Mal erleben? Nein, eigentlich nicht. Mein Bedarf an Zeitsprüngen ist im Moment gedeckt. Morgen soll das Leben ruhig ganz normal laufen. Und dann sehen wir weiter.

Als ich am nächsten Morgen wach werde, sprinte ich sofort zu dem Stuhl, auf dem ich mir vor dem Einschlafen meine Sachen für heute zurechtgelegt habe. Misstrauisch inspiziere ich jedes einzelne Kleidungsstück: Liegt da etwa wieder der gleiche Pulli wie gestern und vorgestern Morgen? Nein! Ich atme auf. Irgendwie hatte ich befürchtet, dass sich dieser erste Schultag in Röllheim ab sofort auch ohne mein höllenschweinisches Eingreifen ständig wiederholen könnte. Albtraumhafte Vorstellung! Aber jetzt ist klar: Ohne den speziellen Mausklick läuft die Zeit ganz normal weiter. Heute ist heute. Und das ist gut so.

Weniger gut ist, dass mein lieber Bruder seit einer Ewigkeit das Badezimmer besetzt hält. Was ist denn mit dem los? Sonst spritzt sich Basti morgens 'ne knappe Handvoll Wasser ins Gesicht, aber nun kämmt und cremt er schon mindestens eine halbe Stunde an sich herum! Ungeduldig bollere ich gegen die Badezimmertür. Aber Basti macht nicht auf! Also gut, dann frühstücke ich eben erst mal und putze mir die Zähne später – oder gar nicht. Ich meine, wenn man mich nicht lässt ... ist ja nicht meine Schuld!

Als ich in die Küche schlurfe, zwinkert Mama mir zu. »Du kannst gleich noch ins Bad. Dein großer Bruder ist demnächst verschwunden! Er wird abgeholt!«

Oh, nein! Ich ahne schon, von wem. »Alissa?«, frage ich nur. Irgendwie habe ich doch gewusst, dass ich diesen Namen nicht zum letzten Mal gehört habe.

Mama nickt und lächelt verschwörerisch. Anscheinend findet sie es toll, dass mein Bruder die Mädels wechselt wie die Hemden. Ganz im Gegensatz zu mir: Meiner Meinung nach hätte Basti nach dem Laura-Drama ruhig mal eine Pause einlegen können.

Als es klingelt, brüllt Basti panisch von oben: »Kann mal einer aufmachen? Ich bin noch nicht fertig!«

Also, normal ist das nicht, oder?

Mama eilt zur Tür. Anscheinend ist sie wild entschlossen, Bastis aufkeimende Romanze mit aller Kraft zu unterstützen.

Zehn Sekunden später erscheint eine sommersprossige Blondine mit Jeansjacke und bauchfreiem Pulli auf der Bildfläche.

»Hi«, haucht die Blonde lässig, »ich bin Alissa!«

Ach, ich dachte, die Neue von der Müllabfuhr.

»Hi.«

Kurz und knapp. Bloß nicht zu viele Worte verlieren.

»Und du bist Bastians kleine Schwester?«

Nee, ich komme aus dem Heim für Not leidende Mädchen und hatte hier heute nur ausnahmsweise einen Schlafplatz.

»Hmm«, mache ich. Die Bezeichnung »kleine Schwester« ging mir schon immer auf den Geist. Klingt so nach Windelkind.

»Mensch, was hast du denn mit deinen Haaren gemacht?«, platzt die Blonde plötzlich heraus.

Das war ja nun völlig daneben! Mit meinen Haaren verstehe ich keinen Spaß! Nicht den geringsten! Omas ewige Sprüche über diese

»schreckliche Wolle, die aussieht wie ein aufgeplatztes Sofakissen« haben mich für mein Leben gezeichnet, jawoll!

»Ach, weißt du, ich stecke meinen Kopf jeden Morgen in eine Steckdose, damit ich ein bisschen Fülle kriege«, erkläre ich. »Solltest du vielleicht auch mal probieren!«

Erschrocken greift Alissa in ihren glatt-glänzenden Blondschopf. »Findest du?«

Ich grinse nur.

Alissa schluckt trocken runter und fragt dann unvermittelt: »Bist du immer so?«

»Wie meinst du das?«

Ich stell mich blöd. Mir ist schon klar, dass sie mich für einen Giftzahn hält. Bin ich ja auch manchmal, zugegeben. Aber was drängt sich diese Schnepfe auch in unser Leben?! Hätte das nicht ein bisschen Zeit gehabt? Ich meine, hätte sich Basti jetzt nicht erst mal ein bisschen um mich kümmern können? Sonst tut das ja keiner! Ich fühle mich richtig im Stich gelassen! Irgendwie hatte ich mir vorgestellt, dass Basti und ich in Röllheim eine Art Schicksalsgemeinschaft bilden. Dass wir zusammenhocken und uns darüber auslassen, wie schön Hamburg und wie schrecklich Röllheim ist. Aber Pustekuchen! Jetzt sind wir grad mal vier Tage hier (oder fünf? Meine Zeitrechnung ist etwas durcheinandergeraten) und mein lieber Bruder findet alles superklasse, nur weil er diese Alissa kennengelernt hat. Und ich bin Luft für ihn! Da darf man wohl auch mal ein bisschen giftig sein, oder?

Alissa hat angefangen zu niesen. Dezent natürlich. Etwas anderes hätte ich von dieser blassen Sommersprosse auch nicht erwartet.

»Bist du erkältet?«, frage ich mit einem Anflug von Höflichkeit.

Alissa schüttelt den Kopf. »Nee, habt ihr hier eine Katze? Katzenhaare vertrage ich nämlich nicht. Da muss ich sofort wie verrückt niesen.«

Weichei! Lebt auf dem Land und verträgt keine Katzenhaare!

»Gestern bei der Probe war es auch ganz schlimm«, quasselt Alissa weiter, »da musste ich auch dauernd niesen.«

»Was für eine Probe?«, frage ich, nur um was zu sagen. Wo steckt Mama eigentlich? Und wo ist Basti? In der Badewanne ertrunken? Beim Rasieren verblutet oder was?

Alissas Augen haben zu leuchten begonnen. Wie Papas Augen, wenn er es mal wieder geschafft hat, das Gespräch unauffällig auf Captain Flynn zu bringen. »Ach, ich bin hier in einer Theatergruppe und wir studieren gerade *Romeo und Julia* ein, von Shakespeare, weißt du?«

Klar, und sie ist natürlich die Julia, wetten?

»Und ich spiele die Julia«, schließt Alissa strahlend.

Seufz! Das Leben birgt wirklich kaum noch Überraschungen. Selbst wenn man erst zehn Jahre alt ist.

»Dein Bruder spielt ja auch Theater, oder?«

Ah, jetzt ist es Alissa endlich gelungen, das Gespräch auf Basti zu lenken.

»Ja, aber mehr so modernes Theater«, erzähle ich freundlich. »Basti findet es immer total albern, wenn Anfänger klassische Stücke spielen. Da kann er sich tot drüber lachen!«

Alissas Gesicht sieht aus wie eine erloschene Kerze. »Ach ja?«, fragt sie matt.

Ich zucke bedauernd die Achseln. »Ja, schade, was? Dass ihr so klassische Sachen macht, meine ich. In Hamburg waren Basti und ich mal zusammen in einer Aufführung von einem Schülertheater. Die haben auch was von Shakespeare gespielt oder von Schiller oder so. Na ja, und da hat man uns sogar rausgeworfen, weil Basti so laut gegrölt hat.«

Unter halb geschlossenen Lidern schaue ich Alissa gespannt an: War das jetzt ein bisschen dicke? Nö, sie scheint es zu schlucken. Damit dürfte sich das Thema Theater zwischen Alissa und Basti wohl erledigt haben und vielleicht ja auch einiges andere!

Da geht die Küchentür auf und Bastian schiebt

sich herein. Stinkt ja wie eine ganze Parfümerie! Und von dieser komischen Creme, die seine Pickel abdecken soll, hat Basti auch viel zu viel aufgelegt. Er sieht aus wie geschminkt. Peinlich!

Alissa scheint Bastis Auftritt überhaupt nicht peinlich zu finden. Sie strahlt meinen Bruder an, als wäre er Robbie Williams persönlich. Basti dagegen ist sichtlich bemüht cool zu bleiben, was angesichts der Parfümwolke, die über seinem Kopf schwebt, noch dämlicher wirkt.

»Hi, Alissa«, sagt Basti knapp, »sorry, hab gar nicht mitgekriegt, dass du schon da bist.«

Boah! Ich wusste gar nicht, dass mein großer Bruder ein so dreister Lügner sein kann.

In dieser Sekunde kommt Mama herein, fast so, als hätte sie vor der Tür auf ihren Einsatz gewartet. »Na, ihr müsst langsam los, was?«, sagt sie munter zu Basti und Alissa. Dabei wirft sie mir einen warnenden Blick zu. Ich soll meinen Mund halten, heißt das. Meinetwegen …

Endlich ist das junge Glück draußen. Aufatmend schnappe ich mir eine Scheibe Toast. Die Laberei mit Alissa hat mich mein halbes Frühstück gekostet.

Mama schenkt mir Kakao ein. »Diese Alissa macht doch wirklich einen netten Eindruck, findest du nicht?«

»Geht so«, sage ich kurz und beiße krachend in meinen Toast.

»Also, mir gefällt sie jedenfalls besser als Laura«, fährt Mama im Plauderton fort, »nicht so überheblich, irgendwie natürlicher. Und wenn Basti durch Alissa Zugang zu einer Theatergruppe hier bekommt, fühlt er sich bestimmt ganz schnell zu Hause.«

Missmutig kaue ich auf meinem Toast herum. Ich will nicht, dass sich Basti in Röllheim zu Hause fühlt!

Als könnte Mama meine Gedanken lesen, sagt sie: »Warte ab, Mäuschen! Bei dir geht das auch schneller, als du jetzt glaubst. Wenn du hier erst mal ein paar nette neue Freunde gefunden hast, dann ...«

Ich kann's nicht mehr hören, echt! Abrupt springe ich auf. »Ich muss los.«

Meine Mutter seufzt. »Aber du hast dir noch nicht die Zähne geputzt ...« Das ist nicht meine Schuld!

Auf dem Weg zur Schule grübele ich darüber nach, welche Rolle ich heute spielen soll. Ich meine, das muss ich mir ja vorher überlegen, sonst komme ich ganz durcheinander! Am besten, ich mime noch mal die brave, immer freundliche Pia, genau wie gestern! Habe einfach keine Zeit mehr, das Drehbuch zu ändern. Wenn ich wieder das mache, was sich die anderen von mir wünschen, habe ich bestimmt meine Ruhe.

1·2·3·4·5·6·7·**8**·9·10·11·12·13·14

Pustekuchen!

Kaum betrete ich den Klassenraum, stürzt schon Nadine mit einem halben Dutzend kreischender Mädchen auf mich zu. Nadine baut sich vor mir auf. »Du, Pia«, legt sie los, »ich habe den anderen erzählt, wie toll es gestern bei TriCompany und bei deinem Vater war. Und deswegen wollen die anderen heute gern mitkommen. Also, was ist, Pia? Meinst du, das geht klar heute Nachmittag?«

Papa steigt mir doch aufs Dach, wenn ich heute noch mal bei dem einfalle! Aber das möchte ich Nadine und Co. nicht unbedingt auf die Nase binden. Die sollen ja weiterhin denken, dass Pia und ihr Papa die nettesten Menschen auf der Welt sind! So hatte ich es mir jedenfalls vorgenommen und dabei muss ich jetzt auch bleiben, oder?

»Tja, also ...«, stammele ich unschlüssig, »heute geht's leider nicht, weil Papa ... äh ... krank ist.«

Eine bessere Ausrede ist mir so schnell nicht eingefallen.

Nadine mustert mich misstrauisch. »Gestern sah dein Vater aber noch ganz gesund aus.«

»Ja, das kam auch ganz ... äh ... plötzlich! Heute Nacht wurde ihm schlecht und ... na ja, deswegen geht es heute nicht!«

Nadine wendet sich an die Mädchentraube hinter sich und verkündet: »Hört mal, wir können doch nicht in die alte Fabrik, weil Pias Papa heute Nacht gekotzt hat!«

Mensch, warum muss die denn so schreien? Aber vielleicht ist das auf dem Land ja so üblich, weil alle weiter auseinander wohnen.

Bevor Nadine weitere spektakuläre Einzelheiten von der plötzlichen Erkrankung meines Vaters in Umlauf geben kann, rauscht unsere Biolehrerin Frau Wohltat herein und verkündet freudestrahlend: »Wisst ihr, was ich euch heute mitgebracht habe? Verschiedene Spinnennetze! Damit ihr euch diese zarten Wunderwerke der Natur einmal ganz in Ruhe anschauen könnt!«

Oh, nein! Wann sind wir denn endlich mit diesem schrecklichen Spinnenthema durch? Ich mache mich ganz klein und versuche der Aufmerksamkeit der Biolehrerin zu entgehen. Aber es kommt, wie es kommen muss: Weil ich es ja gestern zähneklappernd zugelassen habe, dass mir Frau Wohltat eines dieser langbeinigen Ungeheuer auf den Handrücken setzte, zählt sie mich nun zu den besonderen Spinnenfreunden und hält mir ein Netz nach dem anderen vors Gesicht. Fehlt nur noch, dass sie mich mit der Nase reinstupst! O Grusel!

Als es endlich zur Pause läutet, erwartet mich

der nächste Albtraum: Gummitwist mit Nadine und Anna! Heute bleibt mir auch nichts erspart! Gerade will ich brav loshüpfen, als ich die dicke Winnie aus der zweiten Reihe auf uns zusteuern sehe. Ah, die kommt mir wie gerufen! Ein echter Hoffnungsschimmer! Vielleicht naht da ja meine Ablösung? Ich stoße Nadine in die Seite. »Hey, ich glaube, Winnie möchte gern bei uns mitmachen! Stimmt's, Winnie?«

Die Angesprochene nickt und kommt eifrig näher. Aber Nadine dreht Winnie demonstrativ den Rücken zu. »Wir sind drei, das reicht zum Gummitwist!«

Hey, wieso stellt sich Nadine denn so an? »Aber wir können uns doch abwechseln«, wende ich ein, »ist doch kein Problem!«

»Ist es doch!« Annas Augen blitzen. »Wenn Winnie mitmacht, höre ich jedenfalls auf!«

»Ich auch!«, ergänzt Nadine und verschränkt die Arme.

»Aber …«, setze ich an.

»Schon gut«, unterbricht Winnie, »ich gehe besser.«

Sie dreht sich um und zieht ab. Unschlüssig blicke ich hinter ihr her. Ich fühle mich gar nicht wohl in meiner Haut. Das war doch total mies eben von Nadine und Anna! Eigentlich müsste ich jetzt Winnie zurückholen und darauf bestehen, dass sie mitmacht. Aber wenn ich das tue, wenn ich jetzt zu Winnie halte, dann gehöre ich ganz schnell selbst zur Außenseiter-Liga. Dann bin ich draußen, bevor ich hier richtig drin bin! Aber wenigstens was sagen müsste ich jetzt, oder? Nadine und Anna zur Rede stellen! Früher in Hamburg, da hätte ich so einen Müll niemals mitgemacht! Da hätten Caro und ich einen Wahnsinnsaufstand veranstaltet, wenn jemand so ausgegrenzt worden wäre wie Winnie eben! Aber hier in Röllheim bin ich allein, keine starke Caro an meiner Seite. Außerdem fallen Anna und Nadine doch um, wenn ich plötzlich umschwenke und einen Zwergenaufstand probe. Das passt nicht zu meiner Rolle!

Aber ist es denn noch eine Rolle, die ich hier spiele …? Oder halte ich jetzt einfach für alle Ewigkeit die Klappe? Damit mich die anderen – die »wichtigen« Leute in der Klasse – mögen? Damit ich dazugehöre? Bin ich wirklich schon so tief gesunken?

Da fällt mir etwas ein: Ich könnte doch heute Abend einfach wieder die geheime Tastenkombination des Höllenschweins drücken und damit mein feiges Verhalten von eben löschen! Und wenn sich dann morgen (also heute im zweiten Anlauf!) die Situation wiederholt, würde ich Nadine und Anna sehr ruhig und bestimmt erklären, dass sie Winnie mitspielen lassen sollen! Das ist doch eine gute Idee, nicht? Oder suche ich jetzt nur eine Ausrede? Im Grunde bin ich doch heilfroh die große Offenheit auf diese Weise ein bisschen aufschieben zu können, weil die Auseinandersetzung mit Nadine und Anna unangenehm werden könnte! Himmel, wo ist eigentlich mein Mut geblieben? Ich bin mir nicht mal mehr sicher im zweiten Anlauf mehr Mumm zeigen zu können!

In der nächsten Pause holen mich Lukas und Marco zum Autoquartettspielen (wie gesagt: Heute bleibt mir nichts erspart). Ich kriege genau mit, dass Marco zweimal schummelt, indem er eine schlechte Karte einfach hinter den anderen verschwinden lässt. Ob ich was sage? Aber dann wird er bestimmt sauer und das will ich lieber vermeiden! Hey, das gibt's doch nicht: Jetzt hat auch Lukas geschummelt! Mensch, die beiden werden immer dreister, je mehr ich ihnen durchgehen lasse! Oder bilde ich mir das nur ein? Ach, ist doch eigentlich komplett egal, ob ich dieses behämmerte Spiel gewinne oder verliere ...

Alles läuft schief, ich fühle es genau! Ich bin ein richtiger Schlaffsack geworden. Aber ich weiß nicht, was ich dagegen tun soll.

Ich bin froh, als die Schule endlich vorbei ist.

Als ich nach Hause komme, sehe ich schon Bastis Fahrrad vor dem Gartentor stehen. Jetzt bin ich aber echt gespannt, ob mein Gespräch mit Alissa über Bastis Abneigung gegen klassisches Theater gewirkt hat. Vielleicht ist es ja mit Alissas Begeisterung für Basti schlagartig vorbei gewesen und ich habe meinen Bruder schon wieder für mich … Ich brauche ihn schließlich im Moment viel mehr als diese blonde Schnepfe!

Hoffnungsvoll schließe ich die Haustür auf. Kann mir wirklich nicht vorstellen, dass sich Alissa nach unserem Gespräch noch getraut hat Basti eine Rolle in *Romeo und Julia* aufzuschwatzen.

Oder etwa doch?

Schon an der aufgekratzten Art, mit der Basti seine Bratkartoffeln in sich hineinschaufelt, erkenne ich, dass mein schöner Plan gescheitert ist.

»... hab ja bisher noch nie was richtig Klassisches gespielt«, berichtet Basti gerade zwischen zwei Bratkartoffelbissen, »aber Alissa meint, dass das total Spaß macht. Sie hat sich das wohl früher auch nicht vorstellen können, fand es eher peinlich, wenn Anfänger klassische Stücke spielen von Shakespeare und Schiller und so, aber jetzt ...«

Ich traue meinen Ohren nicht. Das ist ja wohl eine Frechheit! Diese Alissa hat meine schöne Geschichte kurzerhand dazu verwendet, sich bei Basti einzuschmeicheln. Sie hat einfach vorgegeben genau die gleichen Erfahrungen gemacht zu haben! Und mein Depp von Bruder fällt natürlich darauf herein und glaubt wahrscheinlich demnächst an Seelenverwandtschaft. Nicht auszuhalten!

»Alissa nimmt mich nachher mal mit zur Probe, stellt mich dem Regisseur vor und dann kann es sein, dass ich sogar noch eine kleine Rolle in *Romeo und Julia* bekomme. Ist das nicht toll?«

Basti lehnt sich zurück und schaut Mama und mich Beifall heischend an. Fehlt nur noch, dass Mama ihm die Arme um den Hals wirft und mit freudentränenerstickter Stimme »Oh, mein Junge!« ausruft. Und ich glaube, Mama würde wirklich genau dies gerne machen, aber dann besinnt sie sich auf ihre schwierige Tochter und fragt sanft-einfühlsam: »Und, wie war's bei dir, Mäuschen?«

Bei Mäuschen war es rundum schrecklich-schaurig, aber das sagt Mäuschen nicht. Mäuschen denkt schon angestrengt über einen neuen Plan nach.

Irgendwie muss es mir doch gelingen, Basti die Augen zu öffnen! Er muss erkennen, dass Alissa nicht gut für ihn ist und dass es viel besser wäre, jetzt eine intensive Leidens- und Interessengemeinschaft mit seiner Schwester zu bilden, jawoll! Wer weiß: Wenn Basti und ich an einem Strang ziehen, schaffen wir es ja vielleicht sogar,

Mama und Papa so zu bearbeiten, dass wir wieder nach Hamburg zurückziehen!

Ich grübele und grübele und dann habe ich's: Katzenhaare! Katzenhaare sind die Lösung! Alissa hat doch heute Morgen erzählt, dass sie davon schreckliche Niesanfälle bekommt. Und das werde ich jetzt nutzen: Ich kenne zwar Liebesgeschichten bisher nur aus dem Fernsehen (meistens total öde), aber so viel ist auch mir klar: Niesanfälle sind total unromantisch – verzerrtes Gesicht, feuchtes Schnauben, knallende Hatschi-Laute, unappetitliche Taschentuchberge … Da bleibt jede zarte Romanze auf der Strecke. Garantiert!

Eine super Idee! Sofort hebt sich meine Laune. Jetzt muss nur noch eine Katze her. Aber woher nehmen, wenn nicht stehlen? Schließlich kenne ich hier in Röllheim noch nicht so viele Leute – und schon gar keine mit Katze! Und wie kriege ich die Katzenhaare an Bastis Körper, wo sie am besten wirken würden?! Ich bin ganz kribbelig, bis ich auch dieses Problem gelöst habe: Basti trägt im Moment tagaus, tagein die gleiche Jacke, so einen blassgrauen Blouson. Genau da müssen die Katzenhaare drauf. Aber wie? Schließlich hat Basti das Ding ja ständig an, wenn er rausgeht. Aber jetzt ist er drin. Klar, jetzt hängt der Blouson an der Garderobe! Also muss ich sofort handeln: Unter einem Vorwand springe ich auf und stürze in den Flur. Ich ziehe Bastis Jacke vom Garderobenhaken, schleiche auf Zehenspitzen in mein Zimmer und verstecke die Jacke in meinem Bett.

Erledigt. Puuh!

Als ich außer Atem zurück in die Küche komme, werfen sich Basti und Mama über meinen Kopf hinweg verwunderte Blicke zu. Aber sie sagen nichts. Ich glaube, zurzeit habe ich in dieser Familie Narrenfreiheit wegen akuter Umzugstrauer.

Während Mama die Küche aufräumt und Basti in seinem Zimmer Musik hört, stopfe ich seine Jacke in einen Rucksack und verlasse unauffällig das Haus. Mir ist eingefallen, wo es hier Katzen geben müsste: in der Zoohandlung, ganz einfach! Oder haben solche Geschäfte immer nur Kleingetier? Fische, Hamster, Zwergmäuse und Meerschweinchen? Keine Ahnung, ich muss es ausprobieren! Immerhin weiß ich sogar, wo hier in

Röllheim eine Zoohandlung ist. Gestern bei meinem einsamen Stadtbummel durch Röllheim-City habe ich eine entdeckt.

Der Verkäufer in der Zoohandlung ist nicht begeistert, als er mich sieht. Wahrscheinlich weiß er aus Erfahrung, dass Kinder, die allein kommen, keine guten Kunden sind. Die wollen nur gucken und Meerschweinchen streicheln, und wenn sie wieder abziehen, hinterlassen sie an den Glasscheiben jede Menge Fetthändchen-Abdrücke.

»Haben Sie auch Katzen?«, frage ich den Brummelkopf hinterm Tresen.

»Hmm«, macht der Verkäufer wenig begeistert, »eigentlich nicht, aber heute habe ich zwei da.«

»Darf ich mal sehen?«, frage ich und versuche so allerliebst zu lächeln wie Kinder in der Werbung.

Es wirkt. Der Brummelkopf führt mich in den hinteren Teil des Ladens, wo zwei kleine graue Kätzchen in einem Tragekorb sitzen. »Die werden gleich abgeholt«, erklärt er.

»Oh, wie süüüüß!«, rufe ich begeistert aus, »darf ich mal eins auf den Arm nehmen? Bitte!«

Der Brummelkopf ist nicht begeistert, aber dann lässt er sich erweichen, holt vorsichtig eines der Kätzchen aus dem Korb und hält es mir hin. »Hier, aber nur einen Moment.«

Schon will ich die Hände nach dem Kätzchen ausstrecken, da fällt mir siedend heiß ein, dass ich das Wichtigste vergessen habe! Hektisch zerre ich Bastis Jacke aus meinem Rucksack und ziehe sie über meine eigene. Das Ding ist mir natürlich viel zu groß! Der Brummelkopf schaut mich an, als hätte ich nicht mehr alle Tassen im Schrank. Klar, so kalt, dass man zwei Jacken übereinandertragen müsste, ist es hier wirklich nicht! Sekundenlang fürchte ich, dass der Verkäufer mir die Katze jetzt nicht mehr geben könnte. Bettelnd recke ich ihm meine Hände aus Bastis überlangen Jackenärmeln entgegen. »Darf ich?«

Der Brummelkopf zuckt die Achseln, dann legt er das Kätzchen in meinen Arm. Wahrscheinlich hat er sich gerade überlegt, dass durchgeknallte Kinder den Kontakt mit Tieren besonders nötig haben.

Das Kätzchen ist wirklich süß. Zärtlich streichle ich sein weiches Fell, drücke es vorsich-

tig an mich. Fast könnte ich vergessen, weshalb ich hier bin. Ich glaube, dies ist der erste schöne Moment in Röllheim. Am liebsten würde ich jetzt hier mit dem kleinen grauen Stubentiger im Arm ein bisschen heulen, aber dann erklärt mich der Brummelkopf wahrscheinlich endgültig für verrückt. Also reiße ich mich zusammen, spiele noch ein bisschen mit dem Kätzchen und hoffe, dass es viele schöne Haare auf Bastis Jacke verliert. Schließlich verabschiede ich mich von Kätzchen und Brummelkopf und wandere nach Hause. Bastis Jacke habe ich sorgfältig zusammengelegt (damit nur ja kein einziges Haar verloren geht) und in meinem Rucksack verstaut. Ich bin zufrieden. Alles hat geklappt wie am Schnürchen!

Als ich nach Hause komme, ist Basti unterwegs. Klar, er wollte ja mit Alissa zu dieser Theaterprobe. Oje, wenn Basti jetzt auch noch eine Rolle in *Romeo und Julia* bekommt, ist alles zu spät. Dann hat Alissa meinen Bruder endgültig in ihren Fängen. Dann mutiert Basti doch in null Komma nichts zu einem waschechten Röllheimer und ich bleibe vereinsamt zurück. Da würde auch der schlimmste Katzenhaar-Niesanfall nichts mehr dran ändern!

Aber ... das bedeutet, dass ich das große Niesen auslösen muss, bevor sich Alissa und Basti näherkommen! Bevor er in die Theatergruppe aufgenommen wird!

Also habe ich gar keine Wahl: Ich muss alles, was heute passiert ist, löschen, mit dem Mausklick ungeschehen machen! Ich muss dafür sorgen, dass sich Alissa und Basti gar nicht erst so nahekommen, wie sie es jetzt schon sind. Nur so wird sich die Geschichte anders entwickeln.

Und wenn es nicht klappt? Daran darf ich gar nicht denken!

Die Stunden dehnen sich wie Kaugummi. Unruhig laufe ich in meinem Zimmer auf und ab. Ich kann es kaum erwarten, mich an den Computer zu setzen und die Zeit zurückzudrehen. Ich warte, bis Mama und Papa unten im Wohnzimmer vor dem Fernseher sitzen und Basti sich in sein Zimmer verzogen hat. Dann schleiche ich auf Zehenspitzen ins Arbeitszimmer. Prima, der Computer ist noch an! Ich rufe Papas Captain-Flynn-Texte auf und beiße ungeduldig auf meinen Nägeln herum. Ah, da ist es! Die Geschichte von Jane Flynn und den Höllenschweinen. Ich nehme mir nicht die Zeit zu schauen, ob Papa an der Geschichte weitergeschrieben hat. Hektisch suche ich mit der Maus die Textstelle, wo Captain Flynn die Tastenkombination drückt, die den Zeitsprung auslöst. Da, da ist es! Sekundenlang schließe ich die Augen. Ich bin so aufgeregt, dass ich schier platzen könnte. Wird es klappen? Wird es auch dieses Mal funktionieren? Was, wenn die Taste plötzlich etwas ganz anderes auslöst? Wenn sie mich ins Mittelalter katapultiert oder so? Quatsch! Nicht nachdenken! Einfach machen! Schon greifen meine Finger die geheime Tastenkombination. Es ist nicht leicht, aber ich schaffe es:

Klick!

Und um mich herum wird es dunkel.

Als der Wecker klingelt, bin ich sofort hellwach. Ich stürze zu dem Stuhl, auf dem meine Kleidung für die Schule bereitliegt. Hat es geklappt? Tatsächlich! Alles genau wie gestern Morgen: dasselbe Hemd, derselbe blaue Pulli und die roten Strümpfe mit dem Loch ... Super!

Es hat geklappt! Es hat wieder funktioniert: Heute ist gestern!

Ich poche an die Tür des Badezimmers. Besetzt! Basti cremt und pinselt an sich herum. Klar, genau wie in der ersten Fassung dieses Tages. Ich könnte jubeln! Rasch ziehe ich mich an und ziehe pfeifend den Rucksack mit Bastis Jacke aus dem Schrank.

Das heißt den Rucksack, in dem Bastis Jacke jetzt eingerollt liegen sollte ...! Aber der Rucksack ist leer! Leer wie mein Sparschwein vor Weihnachten!

Das gibt's doch nicht! Das darf doch nicht

wahr sein! In meinem Kopf dreht sich alles. Und dann fällt es mir wie Schuppen von den Augen: Klar, mit dem Mausklick des Höllenschweins habe ich nicht nur die Zeit zurückgedreht, sondern den gesamten gestrigen Tag gelöscht und damit natürlich auch meine Aktion in der Zoohandlung! Bastis Jacke hängt am gleichen Platz wie gestern Morgen, ohne auch nur ein einziges Katzenhaar daran! So ein Mist!

Warum habe ich nicht richtig nachgedacht? Ich meine, das war doch logisch! Verzweifelt lasse ich mich aufs Bett sinken. Ich könnte heulen! Das mit den Katzenhaaren war meine letzte Chance!

Da fällt mein Blick plötzlich auf den Lederkoffer, der oben auf meinem Schrank liegt. Früher habe ich in dem Ding immer mein altes Spielzeug gehortet. Lieblingssachen, die ich nicht weggeben mochte. Sind da nicht noch die Klamotten drin, die ich anhatte, als ich Caro vor einiger Zeit auf ihren Reiterhof begleitet habe? Und haben wir da nicht auch eine Katze gestreichelt? Ja klar, so eine große schwarze mit scharfen Krallen! Jetzt erinnere ich mich genau! Ich springe auf. Warum habe ich nicht gleich daran gedacht? Ich bin sicher, dass

Mama den ollen Wollpullover danach nicht noch mal gewaschen hat. Ich habe ihn nämlich nach dem Reitstallbesuch gleich wieder weggepackt, hier in diesen Koffer! Nun ist dieser alte, kratzige Pullover meine Rettung beziehungsweise Alissas Verderben ... Vorausgesetzt, dass ich jetzt alles richtig mache!

Ich steige auf mein Bett und zerre den Koffer vom Schrank. Puh, ist das Ding schwer! Aber die Anstrengung lohnt sich. Im Koffer, ganz obenauf, liegt der Pullover, schön zusammengerollt und mit Sicherheit voller herrlicher, kostbarer Katzenhaare.

Ich sehe auf die Uhr. So, es wird Zeit hinunterzugehen! Alissa muss gleich kommen. Nur zum Spaß bollere ich im Vorbeigehen noch mal an die Badezimmertür. Ich weiß ja, dass Basti nicht aufmachen wird. Hat er ja gestern auch nicht.

Als ich in die Küche komme, zwinkert mir Mama zu. »Du kannst gleich noch ins Bad. Dein großer Bruder ist demnächst verschwunden! Er wird abgeholt!«

Mama hat wieder genau die gleichen Worte benutzt wie gestern. Es ist wirklich völlig verrückt!

»Alissa?«, frage ich.

Mama nickt und lächelt wieder ihr verschwörerisches Lächeln und da klingelt es auch schon. Angespannt warte ich auf Bastis Ruf von oben. Da kommt er auch schon: »Kann mal einer aufmachen? Ich bin noch nicht fertig!«

Mama eilt zur Tür und zehn Sekunden später steht die blasse Sommersprosse in unserer Küche.

»Hi, ich bin Alissa!«

»Hi, ich bin Pia!«

Ich habe beschlossen heute zur Abwechslung etwas freundlicher zu Alissa zu sein. Ich meine, wahrscheinlich sehe ich sie jetzt zum letzten Mal. Und wie sie da so steht und mir zulächelt, tut sie mir fast ein bisschen leid. Schließlich wird sie gleich einen schrecklichen Niesanfall bekommen.

Obwohl ich dafür sorge, dass unser Gespräch ganz anders verläuft als gestern im ersten Durchlauf, landen wir irgendwann wieder bei Alissas Theaterrolle. Wie ich vermutet hatte, schafft sie es, jedes Gespräch über kurz oder lang auf ihre *Julia* zu lenken. Aber ich höre Alissa gar nicht richtig zu. Ich schaue immer wieder zur Uhr, will ja keinesfalls den Zeitpunkt verpassen, an dem ich den Katzenhaarpullover zum Einsatz bringen muss. Ungeduldig trommeln meine Finger auf die Tischplatte. So, jetzt ist es so weit! Basti müsste gleich herunterkommen. Ich entschuldige mich kurz bei Alissa, stürme die Treppe hinauf, ziehe mir den Reitstallpullover über den Kopf und bin im nächsten Moment auch schon wieder unten, um mich direkt hinter Basti in die Küche zu schieben. Super Timing!

»Hi, Alissa«, sagt mein nach Parfüm duftender Bruder gerade, »sorry, hab gar nicht mitgekriegt, dass du schon da bist.«

»Hi, Basti«, sagt Alissa.

Und dann sagt Alissa gar nichts mehr. Alissa niest. Und niest und niest und niest. Ihr Gesicht rötet sich, ihre Augen tränen, sie wühlt in ihrer Jeansjacke nach einem Taschentuch – ohne Erfolg –, presst schließlich ihre Hände vor Mund und Nase. Aber es hilft alles nichts. Alissa niest.

Hilflos steht mein großer Bruder neben seiner Traumfrau. Greift schließlich nach der Küchenrolle, die auf der Spüle steht, reißt Blatt für Blatt ab und drückt es der Niesenden in die Hand. Basti sieht ziemlich verwirrt aus. Und jetzt

kommt auch noch Mama ins Spiel: »Was ist denn hier los?«

Zwischen zwei Niesern flüstert Alissa: »Katzenhaare ... raus hier!«, verlässt fluchtartig die Küche und galoppiert durch den Flur nach draußen. Basti folgt ihr auf dem Fuße, mit der Küchenrolle unter dem Arm. Klar, er kann Alissa jetzt nicht alleine lassen! Auch wenn seine Gefühle für sie sicher mit jedem großen nassen Nieser, mit jedem zerknüllten Blatt Küchenrolle geschrumpft sind. Traumfrauen niesen nicht. Jedenfalls nicht so heftig und so lange. Wie lange das wohl noch anhält mit dem Niesen? Ein bisschen schlechtes Gewissen habe ich schon. So heftig hatte ich mir diesen Anfall nicht vorgestellt.

Mama schaut mich prüfend an. »Kannst du mir mal erklären, was hier los ist? Wieso niest Alissa wie verrückt und wieso hast du diesen uralten, löchrigen Pullover an? Den willst du ja wohl nicht anbehalten?!«

Schnell ziehe ich den Pullover wieder aus und werfe ihn über einen Stuhl. »Nö, mir war eben nur ... äh ... kalt. Ist schon wieder okay.«

Mama schüttelt den Kopf. »Sehr merkwürdig das alles.«

Bevor sie noch weiter ins Grübeln kommt, sollte ich lieber verschwinden. »Ich muss los.«

Schnell drücke ich Mama einen Kuss auf die Wange, schnappe meinen Schulranzen und stürme hinaus. Aber ich komme nicht weit. Schon im Vorgarten bleibe ich stehen. Ich kann nicht fassen, was ich da sehe:

Alissa (nicht mehr niesend), die ihr noch immer knallrotes Gesicht an die Schulter meines Bruders lehnt, während er sagt: »Das sah so süß aus, wie du geniest hast, echt!« Und dabei sanft über Alissas zerzaustes Goldhaar streichelt.

Das darf doch nicht wahr sein!

Ich meine, ich mache alles falsch! Einfach alles! Anscheinend habe ich mit meiner Aktion Basti erst richtig in Alissas Arme getrieben! Jetzt ist Basti für mich verloren! Jetzt ist er Röllheimer, für immer und ewig. Und ich habe keinen mehr, der hier zu mir steht! Keinen, mit dem ich meine Eltern bearbeiten kann zurück nach Hamburg zu ziehen oder zumindest sehnsüchtig alten Zeiten nachtrauern kann!

Jetzt bin ich wirklich allein.

Basti und Alissa reagieren nicht mal, als ich schnell an ihnen vorbeihusche. Und ich? Ich muss jetzt wieder in diese gruselige Schule. Muss gleich zum zweiten Mal Spinnenweben streicheln, Gummitwist springen und mich beim Autoquartett übers Ohr hauen lassen.

Aber das mache ich nicht mehr mit! Ab sofort mache ich nur noch, was mir passt, und nichts anderes, jawoll! Jetzt zeig ich es denen in meiner Klasse. Was soll's? Wenn es zu schlimm kommt, dann drehe ich heute Abend eben noch mal die Zeit zurück und lösche den Tag komplett. Ist doch egal!

Ich greife nach hinten, ziehe Caros Tigerschleife aus meinem Ranzen und clippe sie mir ins Haar. Mitten auf den Kopf. Heute bin ich Pia Propella! Sollen die anderen doch lachen! Das macht mir nichts mehr aus!

Heute hebe ich ab!

Wie ein Ozeandampfer rausche ich in den Klassenraum. Ah, da kommt schon Nadine mit ihrer Mädchentruppe auf mich zugestürmt. Genau wie gestern baut sie sich so dicht vor mir auf, dass ich die Sommersprossen auf ihrer Nase zählen könnte, wenn ich wollte. Will ich aber nicht.

»Du, Pia«, legt Nadine erneut los, »ich habe den anderen erzählt, wie toll es gestern bei Tri-Company und bei deinem Vater war. Und deswegen wollen die anderen heute gern mitkommen. Also, was ist, Pia? Meinst du, das geht klar heute Nachmittag?«

Wie sehr hat mich diese fordernde Art schon beim ersten Mal genervt! Und jetzt kann ich mich endlich dagegen wehren! Ohne Rücksicht auf Verluste. Herrlich!

Ich schüttele energisch den Kopf. »Unmöglich, schließlich hatte Papa gestern seinen ersten Arbeitstag! Ist doch sonnenklar, dass ich ihn vorher fragen muss. Oder könntest du deine Mutter einfach mit einer Kinderhorde in ihrer Schneiderei überfallen?« Provozierend sehe ich Nadine an. »Na komm, dann machen wir das gleich heute, ja? Direkt nach der Schule fallen wir alle bei deiner Mutter ein. Die ganze Klasse! Ist doch eine super Idee! Ich wollte schon immer mal eine Schneiderei besichtigen!«

Nadine prallt zurück, als hätte ich sie geschlagen. »Jetzt beruhig dich mal, ist ja schon gut!«, sagt sie beleidigt und dreht schmollend ab.

Mir soll's recht sein. Ah, da naht schon Frau Wohltat mit ihren grässlichen Spinnennetzen! Na, die soll nur kommen! Klar, genau wie gestern steuert Frau Wohltat als Erstes auf mich zu, um mir die Dinger direkt unter die Nase zu halten. »Schau mal, Pia, was ich heute mitgebracht habe.«

Ich weiche zurück und sehe der Lehrerin fest in die Augen. »Wissen Sie was«, schleudere ich ihr entgegen, »ich mag keine Spinnen! Genauer gesagt: Ich hasse Spinnen! Ich habe eine Todesangst vor Spinnen! Und nun nehmen Sie dieses eklige Zeug sofort weg und fragen Sie gefälligst nächstes

Mal, bevor Sie einem hilflosen Kind eine Spinne auf die Hand setzen!«

Die Biolehrerin zuckt zurück, als hätte ich sie gebissen. »Aber Pia, wie redest du denn mit mir?«

Empört richtet sie sich auf, sammelt ihre schönen Spinnennetze wieder ein und stöckelt nach vorne. Die anderen starren mich sprachlos an. Klar, die erkennen ihre liebe Pia Taler nicht wieder. Aber das hier war erst der Anfang! Jetzt kommen Anna und Nadine dran! In der nächsten Gummitwistpause werden sie auf Zwergengröße zurechtgestutzt! Es sei denn, der Tagesablauf ändert sich, weil Nadine nach meiner Bockigkeit in Sachen TriCompany-Besichtigung nun keinen Wert mehr darauf legt, mit mir Gummitwist zu springen. Wäre natürlich auch nicht schlecht!

Aber kaum hat es geläutet, nehmen mich Nadine und Anna wieder in ihre Mitte und führen mich wie ein Opferlamm hinunter in den Pausenhof. Noch sage ich nichts, weil ich die kommende Situation mit Winnie nicht verpatzen will. Ah, da steuert Winnie in ihrer bonbonfarbenen Plüschjacke schon zögernd auf uns zu. Jetzt kann's losgehen. Ich stoße Nadine in die Seite: »Hey, ich glaube, Winnie möchte gerne bei uns mitmachen! Stimmt's, Winnie?«

Wie letztes Mal auch nickt die Angesprochene und kommt eifrig näher. Nadine dreht ihr demonstrativ den Rücken zu. »Wir sind drei, das reicht zum Gummitwist!«

Am liebsten würde ich ihr schon jetzt eins auf die Rübe geben, aber noch muss ich bei meinem Text bleiben.

»Wir können uns doch abwechseln«, wende ich brav ein, »ist doch kein Problem!«

Jetzt müsste Annas Einsatz kommen. Ah, da quäkt sie auch schon los: »Ist es doch! Wenn Winnie mitmacht, höre ich jedenfalls auf!«

So, und jetzt Nadine:

»Ich auch!«, ergänzt Nadine und verschränkt die Arme.

»Schon gut«, murmelt Winnie, »ich gehe besser.« Sie dreht sich um, bereit aufzugeben, bereit den anderen, den Stärkeren, das Feld zu überlassen. Aber nicht mit mir. Nicht heute!

»Bleib, Winnie!«, rufe ich und erschrecke fast vor dem lauten Klang meiner Stimme.

Winnie erstarrt. Sie ist mindestens genauso verblüfft wie Anna und Nadine, die mich unverwandt anstarren.

»Wenn ihr beide Winnie jetzt nicht auf der Stelle mitmachen lasst, verknote ich euer blödes Gummiband zu einem Fischernetz!«, herrsche ich sie an. »Wisst ihr, wie mies es ist, andere so auszugrenzen? Sie einfach nicht mitmachen zu lassen, so dass sie sich fühlen wie der letzte Dreck? Und dann noch über sie zu lachen? Sooo toll ist euer bescheuertes Gummitwist echt nicht! Ich kenne viel bessere Spiele und die mache ich demnächst mit Winnie – und zwar nur mit Winnie! Weil ihr euch so bescheuert anstellt! Ihr blöden, eingebildeten Röllheimer Kühe!«

Damit drehe ich mich um und gehe.

Ha, das hat gutgetan! Tatendurstig renne ich durch die langen Schulflure auf der Suche nach weiteren Kandidaten, denen ich jetzt und auf der Stelle unmissverständlich die Meinung geigen kann.

Ich brauche nicht lange zu suchen.
In unserem Klassenraum sitzt meine
Autoquartett-Truppe. Marco grinst mir
entgegen. »Hey, Pia, willst du mitspielen?«
»Damit du wieder eine Doofe hast, die du
übers Ohr hauen kannst?«, zische ich und tippe
mir an die Stirn. »Meinst du, ich bin blöd?«
Marcos Augen werden kugelrund. »Mensch,
hast du das etwa gemerkt?«

»Ja, stell dir vor, ich habe es gemerkt! Und nicht nur bei dir! Lukas schummelt genauso schlecht wie du!«

Lukas kriegt knallrote Ohren. »Na und? Wird in Hamburg etwa nicht geschummelt? Der Marco und ich, wir haben wenigstens mit dir gespielt, obwohl du neu bei uns bist!«

Das gibt's ja wohl nicht! Ich schnappe nach Luft.

Inzwischen hat es geläutet. Die Pause ist zu Ende und die Klasse füllt sich langsam. Aber alle flüstern nur, schleichen neugierig um uns herum, scheinen zu spüren, dass hier was Besonderes abgeht.

»Du meinst also, weil ich neu bin, muss ich dankbar sein, dass überhaupt jemand mit mir spielt?!«, rufe ich aus. »Findest du das fair? Bin ich etwa schuld an diesem blöden Umzug? Glaub mir, ich hatte keinen Bock darauf! Ich hätte sonst was dafür gegeben, in Hamburg bleiben zu können! Da hatte ich nämlich eine super Klasse und die besten Freunde, die es auf der Welt gibt. Ich mochte die Großstadt, die vielen Lichter, ja, sogar den Lärm, das alles war nämlich mein Zuhause!

Und hier in Röllheim fühle ich mich wie auf einem anderen Planeten, wie auf 'ner einsamen Insel! Und ihr seid die Haifische, die drumrum schwimmen!« Meine Stimme wird immer lauter. Ich schreie fast. »Wenn ich mich nicht so verhalte, wie ihr wollt, dann schnappt ihr zu oder ein oder was weiß ich. Das Einzige, was ihr an mir toll findet, ist doch sowieso der Job meines Vaters. Aber mein Vater war es, der uns in dieses graue Kaff hier verfrachtet hat, wo alles schiefläuft. Einfach alles! Ich fühle mich schrecklich hier! Ich will nur weg, einfach weg!«

Alle starren mich an. Sprachlos. Geschockt.

Nur Winnie meldet sich plötzlich, hebt die Hand, als wäre sie mitten im Unterricht. »Was hast du da eigentlich für eine komische Schleife im Haar?«, fragt sie.

Wie von selbst greife ich in meine Haare, berühre Caros Tigerschleife. »Das ist mein Propeller«, sage ich, »eigentlich heiße ich nämlich nicht Pia Taler, sondern Pia Propella. Aber das kapiert ihr sowieso nicht.«

Ein paar Kinder kichern, andere lachen. Ich höre es nur wie durch eine Nebelwand. Mir ist alles egal. Ich gehe zu meinem Platz, schmeiße meine Siebensachen in meinen Ranzen und gehe zur Tür. Ah, da ist ja auch Frau Wind! Mit großen, erschrockenen Augen steht sie im Türrahmen. Sie hat meinen Ausbruch wahrscheinlich voll mitgekriegt. Egal. Ich wandere den Flur hinunter, öffne die schwere Glastür, überquere den Schulhof. Einfach so.

Keiner hält mich auf.

Und ich würde mich auch nicht aufhalten lassen.

1·2·3·4·5·6·7·8·9·10·11·**12**·13·14

Mama ist nicht da, als ich nach Hause komme. Ich atme auf, verspüre nämlich nicht die geringste Lust, irgendwelche Erklärungen darüber abzugeben, weshalb ich schon so früh wieder auf der Matte stehe. Diesen Vormittag muss ich erst mal selber verdauen. Ich stolpere in mein Zimmer, werfe meinen Ranzen in die Ecke, mich selber quer übers Bett und dann kommen auch schon die Tränen. Schluchzend presse ich mein Gesicht in Brunos weiches Fell und weine meinen alten

Teddy hemmungslos nass. Aus langjähriger Erfahrung weiß ich, dass Tränen (selbst Niagarafall-ähnliche Fluten) meinem treuen Bruno nichts anhaben können. Er brummt nicht einmal.

Ach, wie gut es tut, sich nicht mehr zusammenreißen zu müssen!

Meinen lieben Röllheimer Mitschülern habe ich es heute wirklich gegeben! Ich richte mich auf und putze mir die Nase. Laut und schnaubend. So, jetzt geht es mir schon besser. Jedenfalls ein bisschen. Aber eins ist klar: Heute Abend muss ich auf jeden Fall die Zeittaste drücken und die Ereignisse des Tages komplett löschen!

Dann erlebe ich diesen Tag zwar morgen zum dritten Mal (Alissa zum Frühstück, Spinnenweben streicheln, Gummitwist, Autoquartett, Bratkartoffeln zum Mittag, seufz ...), aber da muss ich jetzt durch. Hilft alles nichts. Es hat gutgetan, heute mal allen ordentlich die Meinung zu sagen und meine Wut und meinen Frust rauszulassen, ohne Rücksicht auf Verluste. Aber damit habe ich mich komplett unmöglich gemacht! Jetzt bin ich in der Klasse total unten durch. Das darf keinesfalls so stehen bleiben, so viel ist klar!

Zum Mittag gibt es natürlich wieder Bratkartoffeln, die Basti ebenso begeistert in sich hineinschaufelt wie gestern. Aber dieses Mal quasselt er nicht das ganze Essen hindurch von Alissa und der bevorstehenden Theaterprobe. Nein, heute ist Basti ziemlich still – oder besser gesagt: verträumt. Kein Wunder, nach dem romantischen Auftritt mit Alissa am Gartenzaun ... So nah waren sich die beiden in der ersten Fassung dieses Tages ja noch nicht gewesen.

Ach, hätte ich mich bloß nicht eingemischt! So absurd es ist: Mit meiner bescheuerten Katzenhaar-Aktion habe ich die Beziehung zwischen Basti und Alissa entscheidend beschleunigt ... Aber das ist jetzt auch egal. Ich habe keine Lust mehr, mich darüber aufzuregen. Es hilft ja doch nichts. Außerdem läuft in meinem Leben zurzeit so viel schief, dass es darauf nun auch nicht mehr ankommt.

Klar, ich werde diesen missglückten Tag auf jeden Fall nachher mit dem Höllenschwein-Mausklick löschen! Aber das ändert natürlich nichts daran, dass ich morgen wieder in diese Schule muss und alles von vorne losgeht.

Wenn ich, sagen wir mal, mit achtzehn bei Mama und Papa ausziehen würde, dann lägen jetzt noch – Moment, ich muss den Taschenrechner holen – also, dann lägen jetzt noch fast 3000 Tage Röllheim vor mir, das sind ... äh ... 72000 Stunden (die Schlafenszeit mitgerechnet). Das heißt, wenn ich noch ein paarmal die Zeit zurückdrehe, wären es sogar noch mehr ... nicht auszuhalten!

Den Nachmittag verbringe ich in meinem Zimmer. Basti ist ja mit Alissa bei der Theaterprobe. Mama sitzt am Computer und arbeitet. Das habe ich gestern gar nicht mitgekriegt, weil ich ja in dieser Zeit in der Zoohandlung war. Aber wahrscheinlich braucht sogar Mama mal eine Pause vom ewigen Auspacken ... Quatsch, so lange macht Mama das ja noch gar nicht! Kommt mir nur so vor, weil ich ja die letzten beiden Tage doppelt erlebt habe. Ach, ist das alles kompliziert!

Eigentlich müsste ich dringend eine Mail an Caro schreiben. Schließlich hatte ich ihr hoch und heilig versprochen mich von Röllheim aus täglich zu melden. Aber was soll ich Caro schreiben? Die Wahrheit? Die nackten, höllenschweinischen Tatsachen? Mensch, wenn ich Caro von der Zeittaste erzähle, erklärt doch sogar sie mich für verrückt! Mit dieser Geschichte bin ich wirklich völlig allein.

Ich überlege: Und wenn ich einen neuen Versuch starte, mit Papa über das zu sprechen, was passiert ist? Das hatte ich doch schließlich vor! Wenn Nadine mir an jenem Nachmittag nicht dazwischengefunkt hätte, dann wäre die Geschichte längst aus.

Nein, jetzt bringe ich erst mal die Sache mit dem heutigen Höllentag wieder in Ordnung! Der muss gelöscht werden, und zwar zackig! Und dann sehen wir weiter.

Der Abend verläuft logischerweise genau wie im ersten Durchgang: Jetzt räumen meine Eltern noch in der Wohnung herum, aber demnächst werden sie sich vor den Fernseher setzen und Basti wird in seinem Zimmer nervige Musik hören. Dann kann ich mich ungestört an den Computer setzen.

Mit Bruno in meinem Arm liege ich auf meinem Bett und starre in ein Buch, ohne tatsächlich zu lesen. Aber dabei muss ich eingedöst sein! Als ich wieder wach werde, ist es im ganzen Haus dunkel. Anscheinend sind Mama und Papa inzwischen zu Bett gegangen und auch drüben von Basti ist nichts mehr zu hören. Hektisch schaue ich auf die Uhr: Schon Viertel vor zwölf! Schnell, ich muss an den Computer und die Zeittaste drücken! Schließlich muss ich diesen Tag unbedingt löschen! Und das geht doch bestimmt nur, solange er noch nicht zu Ende ist! Also noch fünfzehn Minuten!

Ich nehme mir nicht mal die Zeit, in meine Hausschuhe zu schlüpfen, sprinte auf nackten Füßen ins Arbeitszimmer und schalte den Computer an. Dabei schaue ich immer wieder auf die Uhr. Zehn Minuten vor Mitternacht. Das ist in Ordnung, das reicht locker für den Mausklick! Ich atme auf.

Auf dem Bildschirm sind inzwischen die verschiedenen Ordner meiner Eltern erschienen. Ich klicke auf Papas Captain-Flynn-Texte. Super, da sind sie schon!

Schön nach Folgen geordnet, wie es sich gehört! Rasch gehe ich mit der Maus die Reihe der Titel durch:

Captain Flynn und der Mann im Mond,

Captain Flynn und die Geister der goldenen Galaxie,

Captain Flynn und die Wächter der Milchstraße,

Captain Flynn und die Jäger des Jupiter,

Captain Flynn und ...

Mist, wo ist die Story mit den Höllenschweinen? Immer hektischer bewege ich die Maus über das Pad, wandere ich mit dem Cursor über den Bildschirm. Nichts! Die Geschichte mit den Höllenschweinen bleibt verschwunden! Was ist da los? Auf eine Diskette überträgt Papa seine Geschichten immer erst später, wenn sie fertig sind. Das weiß ich genau. Hat er das Ganze irgendwo anders auf der Festplatte gespeichert? Klar, so wird es sein! Ich öffne das Suchprogramm und gebe einen Begriff ein: *Höllenschweine* tippe ich hektisch. So, jetzt sucht der Computer die gesamte Festplatte nach einem Text ab, der mit Höllenschweinen zu tun hat. Aber das kann dauern ...

Ich starre auf den Bildschirm, warte, beiße auf meinen Nägeln herum. Bitte, bitte, lass es klappen! Bitte lass den Computer den Text finden!

Ah, da kommt das Suchergebnis: Negativ!

Nichts, kein Höllenschwein-Text da! Was jetzt? Was soll ich tun? Der virtuelle Papierkorb – meine letzte Chance! Hoffnungsvoll klicke ich hinein – aber auch da ist nichts! Captain Flynn und die Höllenschweine sind verschwunden und mit ihnen die Anleitung für die Zeittaste. Ich werfe einen Blick auf die Uhr. Zwei Minuten vor zwölf. Wenn es mir nicht binnen 120 Sekunden gelingt, die geheime Tastenkombination des Höllenschweins zu drücken, ist der heutige Tag endgültige Wirklichkeit! Dann kann ich nichts mehr von dem, was ich heute in der Schule gesagt und getan habe, rückgängig machen. Ich darf gar nicht daran denken!

Ich habe nur noch eine einzige Chance: Ich muss versuchen die Tastenkombination, die den Zeitsprung auslöst, ohne Anleitung hinzukriegen. Das wird ja wohl nicht so schwer sein! Schließlich habe ich sie bereits zweimal gedrückt. Also muss ich sie doch irgendwo in meinem

Hirn abgespeichert haben, oder? Ich starre auf die Tastatur und versuche mich zu erinnern. Tatsächlich: Nach und nach fällt mir die Kombination wieder ein, finden meine Finger wie von selbst die vier Tasten. Ja, jetzt bin ich mir ganz sicher die richtige Kombination gefunden zu haben! Schon spüre ich einen Hauch von Erleichterung. Jetzt kann eigentlich nichts mehr schiefgehen! Ich bin so gut wie gerettet! Meine linke Hand hält die Tasten, meine rechte Hand sucht die Maus. Ich atme tief durch und dann drücke ich:

Klick!

Und noch mal: Klick!

Nichts!

Es passiert nichts! Das darf doch nicht wahr sein!

Warum wird es nicht dunkel um mich?

Ich drücke noch mal und noch mal.

Immer wieder. Immer verzweifelter.

Aber es nutzt nichts.

Es funktioniert nicht mehr!

Irgendwann rutschen meine verkrampften Finger von den Tasten. Ich gebe auf. Das war's. Ich kann den Tag nicht mehr löschen. Ich kann überhaupt nichts mehr löschen!

Keine Ahnung, warum. Spielt im Moment auch keine Rolle.

Ich stehe auf, bin ganz steif und kalt geworden, weiß nicht, wie lange ich hier gesessen habe. Ich schalte den Computer aus. Dann schleiche ich zurück in mein Zimmer, schlüpfe unter die Decke, ziehe die Beine dicht an meinen Körper, rolle mich fröstelnd zusammen. Aber einschlafen kann ich nicht. Wie ein riesiger, unbezwingbarer Berg liegt der nächste Tag vor mir. In ein paar Stunden muss ich ihnen gegenübertreten: Nadine, Lukas, Anna, Marco und all den anderen, die ich heute – nein gestern! – in Grund und Boden gemotzt habe. Was für ein Albtraum! Was für ein Horror! Wahrscheinlich redet kein Mensch in dieser Klasse je wieder ein Wort mit mir.

Arme Pia Propella.

Als der Wecker klingelt, weiß ich sofort, dass irgendwas schiefgelaufen ist. Im ersten Moment kriege ich noch nicht zusammen, was es ist, aber dann kommt die Erinnerung und springt mir direkt in die Magenkuhle. Ich ziehe die Bettdecke über mein Gesicht und bleibe reglos liegen. Vielleicht sollte ich einfach krank werden. Magenschmerzen habe ich jetzt schon. Wenn ich mich ein bisschen anstrenge, werden es vielleicht bald Magenkrämpfe. Oder noch was Schlimmeres. Jedenfalls irgendwas, das Mama davon abhält, mich heute zur Schule zu schicken. Aber was würde das nutzen? Irgendwann müsste ich dort ja doch wieder einlaufen. Also kann ich es genauso gut gleich hinter mich bringen.

Mechanisch ziehe ich mich an und gehe runter in die Küche, wo Mama den Frühstückstisch deckt.

»Na, Pia, gut geschlafen? Möchtest du Toast?«

»Hmm.« Bin mir zwar sicher, dass ich keinen

Bissen runterbringe. Aber ich muss wenigstens so tun, als ob, damit Mama nicht gleich wieder wissen will, was mit mir los ist.

Basti scheint schon weg zu sein. Wenigstens etwas! Sein Alissa-Glück hätte ich heute Morgen echt nicht ertragen.

Mama ist auch schon im Aufbruch. Sie will zum Einwohnermeldeamt, um uns alle zu echten Röllheimern stempeln zu lassen. Na prima!

Ich trinke einen Schluck Milch und starre vor mich hin. Heute brauche ich mir nicht vorher zu überlegen, wie ich mich in der Schule verhalten, welche Rolle ich spielen soll. Heute redet sowieso kein Mensch mehr mit mir.

Vor dem großen Spiegel im Flur bürste ich mir ohne ersichtlichen Erfolg meine Haare und clippe entschlossen Caros Tigerpropeller hinein. Dann mache ich mich auf den Weg. Schritt für Schritt nähere ich mich dem Ort des Grauens. Meine Beine sind bleischwer. Ich versuche mich gegen das zu wappnen, was auf mich zukommt. Werden sie alle zusammen auf mich einhacken? Oder werden sie mich heute einfach ignorieren, so tun, als wäre ich Luft – schlechte Luft?

Weiß nicht, was schlimmer wäre. Ändern kann ich es ja sowieso nicht …

Langsam gehe ich durch das Schultor. Nanu, da sind ja Nadine und Lukas! Seite an Seite stehen die beiden mitten auf dem Schulhof und sehen mir entgegen. Warten die etwa auf mich?

»Pia?« Nadines Stimme zittert leicht. Oder bilde ich mir das nur ein? Wie habe ich Nadine gestern genannt? Eine blöde, eingebildete Röllheimer Kuh – Oh, Gott … jetzt kommt die Abrechnung!

Ich sehe Nadine direkt in die Augen. Ich bin auf alles gefasst. »Ja?«

Nadine schluckt. »Wir wollten dir nur sagen … also: Gut, dass du wieder da bist!«

Wie war das? Ich höre wohl nicht recht! Soll

das ein Witz sein? Aber Nadine redet schon weiter. »Na ja, wir haben gedacht, nach dem, was gestern los war, kommst du vielleicht gar nicht zurück.«

Ich kämpfe gegen den riesengroßen Frosch in meinem Hals. »Blieb mir ja nichts anderes übrig, oder?«, krächze ich.

Jetzt schaltet sich auch Lukas ein. »Du hättest ja abhauen können ...«

Der hat ja tolle Ideen. »Du meinst, nach Hamburg?«

Lukas nickt. »Klar, ein Freund von mir hat das mal gemacht. Voll cool: Bei Nacht und Nebel hat er seine Sachen gepackt und weg war er!«

»Und wann haben sie ihn geschnappt und Mami und Papi zurückgebracht?«, hake ich nach.

Verlegen blickt Lukas zu Boden. »Na ja, am nächsten Tag, aber trotzdem – gute Aktion ...«

Nadine stößt Lukas grob in die Seite. »Nun quatsch nicht so einen Stuss, Mensch! Wir sind doch froh, dass Pia nicht auf so eine bescheuerte Idee gekommen ist!«

Nadine wendet sich wieder mir zu, nagelt mich richtig fest mit ihrem Blick. »Warum hast du uns nicht einfach von Anfang an gesagt, wie schwer dir dieser ganze Umzug gefallen ist? Und wie unglücklich du darüber bist?«

»Weiß nicht«, ich zucke hilflos die Achseln. »Habe ich das nicht gesagt?«

Nadine schüttelt energisch den Kopf. »Nee, dabei hätte das doch jeder kapiert. Oder hast du gedacht, wir sind blöd, bloß weil wir Landeier sind?«

Glücklicherweise scheint Nadine auf diese Frage nicht wirklich eine Antwort zu erwarten.

Lukas seufzt. »Hoffentlich hält uns die Wind nicht gleich noch so einen Vortrag wie gestern.«

»Was denn für einen Vortrag?«, frage ich.

»Na ja, die Wind hat doch deinen mittelschweren Nervenzusammenbruch gestern voll mitgekriegt«, erklärt Lukas. »Danach war sie natürlich davon überzeugt, dass wir dich hinter ihrem Rücken schrecklich gequält haben. Streichhölzer unter die Fußnägel schieben war noch ihre harmloseste Fantasie, glaube ich ... Das mussten wir ihr erst mal ausreden! Hast du die Wind denn nicht gesehen, als du gestern wie ein Torpedo rausgerast bist?«

Doch stimmt, jetzt erinnere ich mich!

»Nach deinem Abgang waren wir alle ziemlich fertig«, wirft Nadine ein. »Winnie hat sogar geheult!«

Ich fass es nicht. »Winnie hat geheult? Wegen mir?«

Nadine nickt. »Weil ja mit unserem albernen Gummitwist-Streit alles angefangen hat! Mensch, was du Anna und mir da an den Kopf geworfen hast ...« Nadine schüttelt den Kopf. »Dabei war das gar nicht so dramatisch! Anna und ich, wir kriegen uns öfter mit Winnie in die Haare: Mal lässt sie uns nicht mitspielen und manchmal wir sie nicht. Klar ist das ein bisschen bescheuert ... das gebe ich ja zu. Aber Winnie ist keine Außenseiterin oder so was. Sie war im letzten Jahr sogar zweite Klassensprecherin. Du hast das total in den falschen Hals gekriegt! Und erklären konnte man dir ja auch nichts.«

Lukas nickt. »Ja, du warst echt hart drauf gestern!«

Langsam bin ich völlig verwirrt. »Ich glaube, ich habe gar nicht nachgedacht. Wahrscheinlich habe ich die ganze Zeit nur das gesehen, was ich sehen wollte. Und dann bin ich geplatzt wie ein Luftballon!«

»Wir haben das gar nicht verstanden«, sagt Nadine, »weil du ja am Tag zuvor so megafröhlich warst. Da fandest du doch alles toll!«

Ich zögere. Ob ich ihnen jetzt einfach die Wahrheit sage? Warum eigentlich nicht? »Also, am ersten Tag bei euch, da ging es mir in Wahrheit ziemlich schlecht. Und meine ganze Fröhlichkeit, die war nur … gespielt«, gebe ich zu.

Nadine schaut mich entgeistert an. »Gespielt? Aber warum?«

Ich zucke die Achseln. »Na ja, ich zeige eben nicht gern, wie's in mir drin aussieht.«

Lukas schüttelt den Kopf. »Kapier ich nicht! Ich meine, wenn man schlecht drauf ist, dann sagt man eben, dass man schlecht drauf ist. Ist doch okay! Ist doch nicht schlimm!«

»Genau«, bekräftigt Nadine. »Da passiert doch nichts!«

Ich nicke. Langsam und nachdenklich.

»Ja, das merke ich auch grade! Da passiert gar nichts.«

Und dann muss ich grinsen. Von einem Ohr zum anderen.

Nadine schaut mich besorgt an. »Geht's dir gut, Pia?«

»Ja«, sage ich, »doch, es geht mir wirklich ... gut!«

Als ich hinter Nadine und Lukas den Klassenraum betrete, wird es augenblicklich still. Alle sehen mich an. Die meisten erwartungsvoll, viele neugierig, einige unsicher. Aber keiner hier scheint sauer auf mich zu sein. Das hatte ich mir wirklich ganz anders vorgestellt.

Und da kommt auch schon Frau Wind. Suchend gleitet ihr Blick über die Klasse, bleibt schließlich an mir hängen. »Schön, dass du wieder da bist, Pia!«

Frau Wind lächelt mir freundlich zu. Und dann beginnt sie gleich mit dem Unterricht. Meinen gestrigen Abgang erwähnt sie mit keinem Wort. Ich atme auf.

Später, in der Pause, berichten mir Nadine und

Anna, dass Frau Wind gestern noch einen Klassenrat einberufen hat.

»Sie hat mit uns übers Abschiednehmen gesprochen«, erklärt Anna. »War ja klar, worauf sie hinauswollte! Wir sollten uns vorstellen, wie du dich nach eurem Umzug fühlst. Das war ein bisschen seltsam, weil wir ja alle hier aus Röllheim kommen. Aber dass es schwer ist, in eine fremde Stadt zu ziehen, und man schon mal durchknallen kann, wenn man vor einem Haufen neuer Leute steht, das hätten wir auch ohne den Vortrag von unserer lieben Frau Wind kapiert.«

»Wir vielleicht schon, aber bestimmt nicht alle ...«, meint Nadine.

»Ich find's jedenfalls nett von ihr«, sage ich.

Anna zuckt die Achseln. »War ja auch okay.«

Gegen Ende der Pause kommt Marco angetrabt und hält mir seine Autoquartettkarten unter die Nase. »Wie sieht's aus, Pia Propella? Spielst du mit?« Er zwinkert mir zu. »Ich mache auch keinen Schmu heute, versprochen!«

»Würde dir auch schlecht bekommen«, versetze ich. »Ich schummel nämlich viel besser als du.«

»Hä? Ich denke, in Hamburg wird nicht geschummelt?«

»Nur in Notfällen«, erkläre ich.

»Und ich bin ein Notfall?«, fragt Marco verwirrt.

»So was Ähnliches«, sage ich todernst. »Okay, heute spielen wir noch mal Autoquartett, aber morgen bringe ich meine UNO-Karten mit. Kennst du das Spiel?«

Marco nickt. »Logo!«

»Bist du morgen eigentlich wie heute, Pia?«, schaltet sich Nadine ein. »Oder wieder irgendwie anders?« Sie grinst. »Ich frag nur, damit wir uns drauf einstellen können ...«

Ich griene zurück.

»Nö, ich glaube, ich bleibe jetzt, wie ich bin.«

Nadine atmet auf. »Na, dann ist es ja gut!«

Auf dem Weg nach Hause merke ich, dass da, wo sich eigentlich mein Magen befindet, ein riesengroßes Loch klafft. Ich habe Hunger, und zwar einen Bärenhunger! Kein Wunder, nachdem ich mein Frühstück heute Morgen wegen akuter Schulangst verschmäht habe!

Ich kicke ein Steinchen vor mir her und wundere mich, als ich nach ein paar Metern konzentrierten Dribbelns schon vor unserem Gartenzaun stehe. An diese kurzen Wege hier in Röllheim muss ich mich echt noch gewöhnen. Irgendwie geht alles viel schneller!

Nanu, habe ich einen Knick in der Pupille, durch Hunger ausgelöste Halluzinationen oder steht da tatsächlich Papa im Vorgarten und schwingt ebenso eifrig wie erfolglos eine Harke? Kann mich nicht erinnern meinen Vater jemals zuvor bei Gartenarbeiten gesehen zu haben! Was für ein Anblick! Anscheinend weckt Röllheim bei uns allen neue Talente: Papa entwickelt einen grünen Daumen (zumindest bemüht er sich darum), Basti mutiert zum Shakespeare-Darsteller, ich mache Zeitsprünge ... und Mama? Keine Ahnung! Wird sich noch zeigen ...

Jetzt hat Papa mich entdeckt und hebt die Harke zum Gruß wie der Obergärtner persönlich. »Hallo, Pia, ich dachte, ich kehre mal ein paar Blätter zusammen. Aber die fliegen immer wieder weg, muss man wahrscheinlich beschweren oder so ... Ach, ist ja auch egal, lass uns erst mal etwas essen!« Erleichtert lässt Papa die Harke ins Gras plumpsen und öffnet mir schwungvoll die Gartentür. »Hereinspaziert, Pia Propella!«

»Arbeitest du heute gar nicht?«, frage ich erstaunt.

Papa schüttelt den Kopf. »Nö, ich habe gedacht, ich helfe noch ein bisschen bei der Räumerei in Haus und Garten. Bisher habe ich in der Beziehung ja nicht gerade geglänzt. Meint deine Mutter jedenfalls ...« Verlegen fährt sich Papa mit der Hand durchs Haar. »Außerdem brauche ich eine kleine Denkpause. Meine gute Jane Flynn ist ein bisschen ins Stocken geraten ...«

Ich horche auf. »Wie meinst du das? Ins Stocken geraten?«

Papa zuckt die Achseln. »Ach, ich weiß es selber nicht genau. Jedenfalls habe ich mich gestern Abend noch an den Computer gesetzt und mein neuestes Flynn-Abenteuer komplett gelöscht, weil –«

»Was?«, unterbreche ich Papa ungläubig, »du hast die Geschichte mit den Höllenschweinen gelöscht? Captain Flynns Zeitsprung?«

Papa schaut mich erstaunt an. »Ich wusste gar nicht, dass du den Text gelesen hast!«

Stimmt, das hatte ich ihm ja gar nicht erzählt! Aber das spielt ja jetzt auch keine Rolle! Wichtig ist, dass mir gerade klar wird, warum die Zeittaste gestern Nacht plötzlich nicht mehr funktioniert hat: Papa muss die Höllenschwein-Geschichte kurz zuvor gelöscht haben ... und damit ging auch die Wirkung der Geheimtaste verloren!

»Verrückt ... total verrückt«, murmele ich vor mich hin.

Papa schaut mich irritiert an. »Was ist verrückt? Was meinst du denn, Pia?«

Ungeduldig wische ich seine Fragen zur Seite. »Warum hast du die Geschichte gelöscht? Ich meine, sie war doch gut, oder? Spannend und auch …«, ich suche nach den richtigen Worten, »… na ja, wie echt!«

»Du meinst realistisch?«, fragt Papa. Er wirkt plötzlich seltsam angespannt.

»Ja«, ich spüre, dass ich rot werde, aber ich muss weitersprechen, es ist wie ein Zwang: »Man konnte sich doch vorstellen, dass diese Geheimtaste des Höllenschweins wirklich funktioniert, oder? Ich meine, dass sich damit tatsächlich die Zeit zurückdrehen lässt …«

Papa sieht mich nachdenklich an. »Genau«, sagt er langsam. »Das Ganze war eben zu realistisch, es war mir fast ein bisschen …«, er zögert, sucht nach Worten.

»… unheimlich?«, frage ich leise.

Papa nickt. Einen Moment lang schauen wir uns nur an.

Papas Augen sind genau wie meine: grün mit kleinen braunen Pünktchen drin. Komisch, dass mir das vorher nie aufgefallen ist.

Hat Papa etwa – genau wie ich – mit dem geheimen Mausklick an der Zeit gedreht? Hat auch er Tage wiederholt? Ereignisse gelöscht?

Ich weiß es nicht. Ich will es auch nicht wissen. Jedenfalls nicht jetzt.

Papa holt tief Luft. Der magische Moment zwischen uns ist vorbei. »Ich bin sicher, es ist besser, dass ich diese letzte Flynn-Geschichte gelöscht habe!«, sagt er fest.

»Ja, vielleicht.« In meinem Kopf wirbelt alles durcheinander: In Zukunft wird es also keine Zeitsprünge mehr geben. Keine Löschtaste für bescheuertes Verhalten! Kein Radiergummi für Pia Propellas Ausrutscher! Ist das nun gut oder schlecht? Keine Ahnung!

Ich hake noch mal nach. Ich muss es genau wissen: »Hast du denn keine einzige Kopie mehr, Papa? Auch nicht bei Klaus im Büro?«

Mein Vater schüttelt den Kopf. »Nein, warum auch? Morgen beginne ich mit einer neuen Captain-Flynn-Geschichte. Ich habe schon eine Idee … Willst du mal hören?« Papa ist wieder in seinem Element.

Ich muss grinsen. »Später«, sage ich, »guck mal, wer dahinten kommt!«

Ihre Fahrräder nebeneinander herschiebend steuern Basti und Alissa auf uns zu. Basti wirkt ein bisschen verlegen. Das sehe ich sogar auf die Entfernung! Klar, er hat natürlich nicht erwartet vor dem Haus ein Empfangskomitee vorzufinden.

»Hey, das ging aber schnell mit Basti und diesem Mädchen«, sagt Papa erstaunt.

»Er kommt eben nach seinem Vater.«

Huch, ich habe gar nicht gemerkt, dass Mama hinter uns steht!

»Was soll das denn heißen?«, fragt Papa beleidigt. Aber in Wirklichkeit ist er natürlich geschmeichelt.

Mama grinst nur. »Pia, eben hat eine Nadine aus deiner Klasse angerufen und gefragt, ob du später bei ihr vorbeikommst. Wolltet ihr tatsächlich die Schneiderei ihrer Mutter besichtigen? Das hat sie nämlich gesagt.«

Ich kichere. »Schon möglich ...«

»Samstag fahren wir übrigens nach Hamburg«, wirft Papa ein. »Wir müssen noch ein paar Sachen fürs Haus besorgen. Möchtest du mit?«

Mein Herz macht einen Luftsprung. »Caro besuchen?«

Mama lächelt. »Na, hast du Lust!?«

Was für eine Frage! Auf Caros Gesicht, wenn ich ihr haarklein erzähle, was hier in den letzten Tagen los war, freue ich mich jetzt schon! Langweilig war es in Röllheim bisher ja nicht gerade! Und ich habe das sichere Gefühl, dass es das auch in Zukunft nicht sein wird.

Mama auf der Spur

Katja Reider
Maja ahnt was
144 Seiten
Taschenbuch
ISBN-13: 978-3-551-35410-5
ISBN-10: 3-551-35410-3

Maja kann es nicht fassen. Da findet sie zufällig Mamas Tagebuch, blättert ein wenig darin herum und plötzlich steht die Welt Kopf - Mama hat eine Affäre! Daher also die vielen „Überstunden" in der letzten Zeit. Maja ist ratlos. Soll sie Papa davon erzählen? Besser nicht! Oder Mama einfach fragen? Dann müsste sie aber auch ihre Schnüffelei beichten. Also nimmt Maja die Sache selbst in die Hand und spioniert ihrer Mutter nach ...

CARLSEN

www.carlsen.de

Aufregende Begegnung

Joachim Friedrich
Pias geheime Freundin
Illustriert von Barbara Scholz
112 Seiten
Taschenbuch
ISBN-13: 978-3-551-35428-0
ISBN-10: 3-551-35428-6

Pias Freizeit ist total verplant: Ballett, Turnen, Musikunterricht, Schwimmen – bei all den Kursen weiß sie manchmal gar nicht mehr, wo ihr der Kopf steht! Eigentlich würde sie gerne etwas ändern, nur wie? Da taucht ein Mädchen in Pias Badezimmer auf, das ihr bis aufs Haar gleicht. Und weil die Doppelgängerin, die niemand außer Pia sehen kann, eine ziemlich große Klappe hat und von nun an überall dabei ist, wird Pias Leben plötzlich wie von selbst durcheinander gewirbelt!

CARLSEN

www.carlsen.de

Internet-Verwicklung

Joachim Friedrich
Internet + Currywurst
176 Seiten
Taschenbuch
ISBN-13: 978-3-551-35319-1
ISBN-10: 3-551-35319-0

Der einzige Lichtblick im neuen Schuljahr ist für Philipp und Chris die Internet-AG, denn neben den altbekannten Gesichtern gibt es dort auch eine Neue: Jennifer, eine blonde Schönheit, die allen Jungs den Kopf verdreht. Chris will Jennifer natürlich auch gleich kennen lernen, vergrault sie aber mit seinen coolen Sprüchen. Da beschließt er ihr unter einem Pseudonym E-Mails zu schreiben ...

CARLSEN
www.carlsen.de

Rasante Suche

Ulrike Kuckero
Die Zahnspangenjagd
Illustriert von Edda Skibbe
112 Seiten
Taschenbuch
ISBN-13: 978-3-551-35408-2
ISBN-10: 3-551-35408-1

Ach du Schreck! Das war ja gar kein Stöckchen, das Martin beim Spielen mit Lilys Hund Blitz weggeworfen hat. Das war seine neue Zahnspange! Blitz schnappt sich das kostbare Stück auch gleich und weg ist er. Eine wilde Jagd durch den Park beginnt ...

CARLSEN

www.carlsen.de